LUCIANO ARTUSI - SILVANO GABRIELLI

Guida Storico Artistica di
Historic and Artistic Guide to

ORSANMICHELE IN FIRENZE

EDIZIONI BECOCCI

Stemma dei Capitani di Orsanmichele
Coat of arms of the Captains of Orsanmichele

© 1982
© 2006 Edizioni Becocci
Stampa: Kina Italia / L.E.G.O.
Imapaginazione: Renzo Matino
Copertina: Massimo Capaccioli

CENNI STORICI

HISTORICAL HINTS

Sul luogo occupato oggi da questo insigne edificio, unico nel suo genere poiché unì, come vedremo, la vita civile a quella religiosa, venne eretta nell'anno 750 una chiesetta in onore di San Michele Arcangelo la quale, per essere prossima ad un vasto terreno coltivato ad orto, fu chiamata comunemente San Michele in Orto e, per abbreviazione popolare, Or San Michele.

Nel 1240 il Comune di Firenze ordinò l'abbattimento di questa chiesa per destinarne l'area al mercato del grano e dei cereali. La piazza così ottenuta si mantenne tale fino al 1284 quando, su disegno di Arnolfo di Cambio, il Comune ordinò la costruzione di una loggia che riparasse dalle intemperie i mercanti di biade nelle loro contrattazioni.

La loggia, di semplice fattura, piuttosto bassa e poco ampia, fu eretta su pilastri di mattoni e con tetto di legname a grondaia sporgente. Ad uno dei pilastri, a ricordo del nome che portava la chiesetta demolita, vi era dipinto un San Michele Arcangelo mentre un altro pilastro mostrava un'immagine della Madonna, attribuita al pittore Ugolino da Siena.

Ben presto si diffuse fra il popolo una grandissima devozione per questa immagine, che fu detta *Madonna delle Grazie* per i numerosi miracoli che continuamente Le si attribuivano.

Fra i numerosissimi devoti che si radunavano ogni sera davanti alla sacra immagine a cantare le *laudi* in onore di Dio e della Vergine, il 10 agosto 1291 si costituì, allo scopo anche di combattere gli eretici Paterini, una Compagnia col nome *della Beata Vergine pura Madonna Santa Maria di San Michele in Orto* detta poi dei *Laudesi*.

La Compagnia dei Laudesi era retta da otto ufficiali chiamati *Capitani di Or San Michele* (che avevano per insegna le tre lettere OSM in oro in campo azzurro) i quali si dedicavano, fra l'altro alla distribuzione ai cittadini più indigenti delle numerose e ricche offerte che di continuo venivano fatte alla sacra immagine della Madonna.

Fu appunto in quel tempo che lo spazio intorno al pilastro della Vergine prese il nome di *Oratorio*.

Il 10 giugno 1304 un furiosissimo incendio,

On the site occupied today by this famous building, unique in its style as it gathered, as we shall see, the religous life with the civil life, in 750 a little church was built in honour of St. Michael Archangel, and, because it was near a large stretch of land used for market gardening, it was commonly called San Michele in Orto (St. Michael in the Garden) and popularly shortened into Or San Michele. In 1240 the Florentine Comune ordered to destroy the Church to use this site for the grain and cereal market. The square that was obtained remained such until about 1284 when, on a design by Arnolfo di Cambio, the Commune commissioned the construction of a loggia which could protect the grain merchants during their bargaining from bad weather.

This simple, rather low and not very wide loggia, was erected on brick pillars and had a wooden roof with projecting waterspouts.

An image of St. Michael Archangel was painted on one pillar in memory of the name borne by the demolished church, whereas on another pillar there was the image of the Madonna, attributed to the painter Ugolino da Siena.

A great devotion towards this image soon spread among the people, and they called it *Madonna delle Grazie* because of the numerous miracles she was continuously attributed to. On August 10th 1291 a Society was founded named after *the blessed Virgin, pure Madonna St. Mary of San Michele in Orto* and later called *the Laudesi*; it had the aim of fighting against the Paterini heretics and its members came from the great number of devouts who gathered in front of the holy image each evening to sing hymns of praise in honour of God and the Virgin.

The Society of the Laudesi was ruled by eight officials called the *Captains of Or San Michele* (whose emblem consisted of the three letters OSM in gold on a blue background) who dedicated themselves to distributing the numerous and rich offerings continuously made to the sacred image of the Madonna to citizens most in need.

It was precisely in that period that the area around the pilaster of the Virgin took on the name of *Oratory*.

appiccato per questioni di fazioni politiche, devastò una buona parte del centro di Firenze distruggendo anche la loggia di Orsanmichele, della quale rimase soltanto qualche fumante rudere di pilastro.

Con vari e provvisori lavori di riordinamento, la loggia giunse al 1336 quando la Repubblica Fiorentina, fino allora pressata da onerosi impegni finanziari per lunghe e dispendiose guerre, ne decretò l'abbattimento e la costruzione di una nuova con l'innalzamento di locali sovrastanti.

Ciò nel duplice intento di riservare al piano terreno un degno luogo di venerazione attorno al pilastro della Vergine Maria e di avere finalmente, nei due spaziosi e slanciati piani superiori, un sicuro, areato e sano deposito per la conservazione del grano che costituiva allora la base dell'alimentazione, nonché delle granaglie non meno necessarie anche per il mantenimento degli animali.

La posa della prima pietra, alla presenza del popolo festante e di tutte le Autorità cittadine, avvenne il 29 luglio 1337 con una solenne cerimonia officiata dal Vescovo fiorentino Francesco Silvestri da Cingoli.

La Signoria di Firenze, per buon auspicio, gettò nelle fondamenta alcune medaglie d'oro appositamente coniate e l'Ambasciatore di Arezzo fece altrettanto con le monete della sua città.

Ad ognuna delle ventuno Arti (o Corporazioni di Mestiere) fu assegnato un pilastro della loggia nel quale vi fosse effigiata l'immagine del Santo Protettore dell'Arte. Il Patrono, sempre molto venerato, era particolarmente onorato in occasione della Sua festa annuale, con cerimonie religiose e offerte da dispensarsi ai poveri in nome di Dio e della Vergine.

L'esecuzione della nuova *fabbrica* fu affidata all'Arte della Seta, la quale designò quali architetti Neri di Fioravante, Benci di Cione e Francesco Talenti. Fu il figlio di quest'ultimo, Simone, che più tardi (1380) chiuse la luminosa loggia riducendola esclusivamente a Tempio religioso come ora lo si ammira.

La singolare costruzione di Orsanmichele risultò elegante come un palazzo ma nello stesso tempo con tutte le caratteristiche religiose del santuario.

Frattanto, un importante avvenimento politico determinò l'accrescersi della già grande devozione verso la Madonna di Orsanmichele, ed il conseguente abbellimento dell'Oratorio: il 26 luglio 1343 Firenze si liberò dalla tirannia del Duca d'Atene il quale, approfittando delle discordie interne, intendeva rendersi signore della città.

La Signoria, interprete dell'unanime sentimento dei fiorentini, fu certa che la recuperata li-

On July 10th 1304 a terrible fire, which had been set because of quarrels among political factions, destroyed a good part of the centre of Florence, also devastating the Loggia of Orsanmichele, of which only some smoking remains of the pilasters were left.

Whith several temporary works of restoration the Loggia reached 1336; then the Florentine Republic, which had been up to then pressed by heavy financial obligations because of the long and expensive wars, decreed its destruction and the construction of a new loggia, with the addition of upper floors. This had the double purpose of preserving a worthy place of worship around the pilaster of the Virgin on the ground floor and of finally having a large and secure warehouse for storing grain, which constituted the basis of nutrition then, and corn which was necessary for feeding animals, on the two wide upper floors. The first stone was laid on July 29th 1337 in the presence of the rejoicing people and of all the City Authorities with a solemn ceremony officiated by the Florentine Bishop Francesco Silvestri da Congoli.

As a good omen, the Florentine Seigniory threw some specially coined gold medals into the foundations and the Ambassador of Arezzo did the same with some coins from his own city. Each of the 21 Guilds (Trade Corporations of Art) was assigned a pilaster of the Loggia on which the image of the Patron Saint of the Guild was to be portrayed. The Patron Saint, who was always very much venerated, was particularly worshipped on the occasion of his annual feast-day with religious ceremonies and offerings to be distributed among the poor in the name of God and the Virgin. The construction of the new *fabbrica* was entrusted to the Silk Guild which called Neri di Fioravante, Benci di Cione and Francesco Talenti as architects. It was the son of the latter, Simone, who later closed the loggia (1380) thus reducing it exclusively to a religious Temple as we can still admire it today.

The original building of Orsanmichele appeared as elegant as a palace but, at the same time presenting all the religious characteristics of a church. In the meantime an important political change determined the growth of the already great devotion to the Madonna di Orsanmichele, and the consequent embellishment of the Oratory; on July 26th 1343 Florence freed itself from the tyranny of the Duke of Athens who, profiting from the internal discord, intended to become the ruler of the city.

The Seigniory, interpreting the unanimous feelings of the Florentines, was certain that the regained liberty was due to the favour of the Ma

Chiesa di Orsanmichele - I piani inferiori   Church of Orsanmichele - The lower floors

Chiesa di Orsanmichele · Cavalcavia del Buontalenti   Church of Orsanmichele · The arch across the Street, by Buontalenti

bertà fosse dovuta alla grazia della Madonna, ottenuta per intercessione di S. Anna Sua Madre, della quale ricorreva proprio in quel giorno la festa, e decretò quindi che si costruisse una cappella o almeno un altare in onore di S. Anna.

L'altare fu costruito provvisoriamente in legname e solo più tardi sostituito con uno in marmo per opera di Benci di Cione.

Fu ordinato inoltre che ogni anno, nella fausta ricorrenza del 26 luglio, tutte le Arti dovessero appendere all'esterno della Chiesa i propri gonfaloni, tradizione questa che è rimasta inalterata nei secoli e che tuttora viene rispettata a cura però dell'Amministrazione comunale di Firenze. Nel 1349 la Compagnia di Orsanmichele dette incarico ad Andrea Orcagna di costruire un grandioso tabernacolo, che doveva essere il più bello ed il più ricco fino allora mai visto, e che doveva servire di degna cornice al dipinto della Madonna.

Nel 1357 il Comune deliberò che il mercato del grano e delle biade, fino allora svoltosi regolarmente sotto la loggia, venisse effettuato in altro luogo appositamente predisposto, per evitare che le contrattazioni e l'attività dei mercanti sulla piazza, alterassero la bellezza dell'Oratorio ed impedissero ai fedeli il devoto raccoglimento presso l'altare della Vergine.

I piani superiori però continuarono ad essere adibiti (particolarmente durante il periodo dell'assedio, 1529-30) a magazzini di grano, i quali avevano la capacità di contenere ingenti scorte di biade per fronteggiare i periodi di tristi carestie.

Nel 1569 il Granduca Cosimo I trasferì negli *ex silos* l'Ufficio dei Contratti, per accedere al quale, senza passare più dall'Oratorio, fece costruire al Buontalenti l'arco cavalcavia che, partendo dal prospiciente Palazzo dell'Arte della Lana, raggiungeva l'Ufficio all'altezza del primo piano consentendo l'accesso attraverso un finestrone.

Orsanmichele, chiesa dallo stile sobrio ed elegante proprio dell'architettura fiorentina, continua ormai da secoli la sua funzione di Tempio, da considerarsi sacro due volte: sacro per essere Casa di Dio e santuario Mariano e sacro per le memorie che suscita di lontani tempi nei quali, sulle infuocate passioni delle fazioni interne e delle lotte comunali, dominava la forza e l'operoso ingegno di quelle Arti che seppero lasciare sul cammino della storia repubblicana di Firenze, un luminoso esempio di progresso e di civiltà a tutto il mondo.

donna, obtained by intercession of St. Anne Her Mother, whose feast day was celebrated just on that day, and therefore decreed that a chapel or at least an altar should be built in honour of St. Anne.

The Altar was provisionally erected in wood and only later it was substituted with a marble one sculpture by Benci di Cione.

It was also decreed that all the Guilds should hang their own gonfalons outside the Church for the anniversary of that happy event every year on July 26th.; this is a tradition that has remained unaltered over the centuries and is still respected today by the Administration of the city of Florence. In 1349 the Society of Orsanmichele gave Andrea Orcagna the commission of constructing a big tabernacle which had to be the richest and the most beautiful ever seen before and which had to make a worthy setting fo the painting of the Madonna.

In 1357 the Commune decided that the corn and oats market, which up to then had been regularly continued under the loggia, was to be carried out on another purposely chosen site, in order to avoid that the bargaining and the activity of the merchants in the square might spoil the beauty of the Oratory and prevent the worshippers from meditating piously near the altar of the Virgin. The upper floors however continued to be used as granaries until the XVI century, particularly during the siege (1529-1530), as they could contain enormous supplies of oats ready to face the sad periods of famine.

In 1569 Grand Duke Cosimo I transferred the Contracts Offices into the *ex silos* and commissioned Buontalenti with the construction of the overbridge arch which starting from Palazzo della Lana reaches the Offices at the height of the first floor, thus allowing the access through a large window and no longer across the Oratory.

Orsanmichele, a church in the sober and elegant style of real Florentine architecture, has for centuries now continued its function as a temple which must be considered doubly sacred: sacred for being the House of God and a church devoted to the Virgin and sacred for the memories of ancient times that it awakens: when the strong passions of internal factions and communal struggles were dominated by the force and the industrious genius those of Guilds, which left a bright example of progress and civilization for the whole world, in the history of the Republic of Florence.

SAN MICHELE ARCANGELO

Col nome di Michele, che in ebraico significa *Chi come Dio?*, è appellato uno dei tre Arcangeli dei quali ci è stato rivelato il nome.

San Michele ha la funzione di Principe e Condottiero delle milizie angeliche, difensore della Chiesa e del popolo cristiano.

Vittorioso contro le insidie e gli assalti del nemico Satana, Egli viene rappresentato nell'iconografia con corazza spesso dorata, spada sguainata, mentre calpesta e vince il demonio.

Nel mondo cristiano, fino dal secolo VIII vi fu una fioritura di Chiese e Santuari dedicati all'Arcangelo Michele, ed anche in Firenze l'antica chiesetta, demolita e sostituita poi con l'attuale Oratorio, sorse appunto in quel periodo, nel quale i diversi popoli affidavano fiduciosi la propria spirituale difesa anche all'Angelo guerriero.

San Michele Arcangelo, la cui festa ricorre il 29 settembre, è considerato anche il Patrono degli spadaccini, dei doratori e dei pesatori di grano.

Particolarmente interessante è questa ultima funzione per la precisa attinenza ch'essa ha con l'Oratorio di San Michele in Orto, sotto la cui loggia si svolgeva la compra-vendita del grano e dei cereali.

SAINT MICHAEL ARCHANGEL

Who is like God? is the meaning of the name Michael, one of the three Archangels, whose names have been revealed to us.

St. Michael has the functions of Prince and Condottiere of the army of Angels, defender of the Church and of the Christian people.

Ever victorious against Satan's traps and assaults, he is usually represented in iconographs, with a gilded armour and an unsheathed sword while he tramples down and triumphs over the demon.

From the VIII century onwards there was an increase in the Churches and Sanctuaries dedicated to the Archangel Michael in the Christian world and in Florence the ancient little Church, demolished and later substituted with the present Oratory, was also build exactly in that period, when many populations faithfully entrusted their spiritual defence to the warrior angel.

St. Michael Archangel whose feast day is on the 29th of September, is also considered the Patron Saint of swordsmen, gilders, and corn-weighers.

This last function is particularly important because of its precise relation with the Oratory of San Michele in Orto, where the market of grain and cereals took place under the Loggia.

San Michele Arcangelo
Saint Michael Archangel

Non è possibile parlare della Chiesa di Orsanmichele ignorando le Corporazioni delle Arti e Mestieri che resero artisticamente famoso il loro Tempio, dedicato alla Madonna e appellato col nome dell'Arcangelo Michele.

It is impossible to speak of the Church of Orsanmichele without mentioning the Corporations of Arts and Trade which made the Temple, dedicated to the Madonna and christened with the name of the Archangel Michael, artistically famous.

COAT OF ARMS OF THE 21 ARTS
STEMMI DELLE 21 ARTI

The Major Arts or Guilds
Le Arti Maggiori

JUDGES AND NOTARIES
GIUDICI E NOTAI

MERCHANTS OR CALIMALA
MERCATANTI O DI CALIMALA

EXCHANGE
CAMBIO

WOOL
LANA

SILK OR POR SANTA MARIA
POR SANTA MARIA O DELLA SETA

PHYSICIANS AND APOTHECARIES
MEDICI E SPEZIALI

VAIR PREPARERS AND FURRIERS
VAIAI E PELLICCIAI

In Firenze, il lavoro artigianale ed artistico si sviluppò rapido in tutti i settori e ben presto portò la città ad una invidiabile floridezza economica ed artistica, che fu profusa anche nell'Oratorio di Or San Michele, divenuto la Chiesa prediletta della Repubblica Fiorentina.

Gli operosi artigiani fiorentini si raggrupparo-

Artistic work and hand craftsmanship in all their branches developed in Florence and soon brought the city a very enviable economic and artistic wealth that also spread into the Oratory of Orsanmichele which had by then become the favourite church in the Florentine Republic.

The hardworking Florentine craftsmen grou-

no in Associazioni che dovevano comprendere ognuna solo artefici di un determinato mestiere.

Nella seconda metà del 1200 furono istituite sette principali *ARTI* dette *MAGGIORI*, alle quali più tardi furono aggregate quattordici *ARTI MI-*

ped themselves into Associations which were to include each the arteficers of a determined trade.

By the second half of the thirteenth century seven main *arts* (Guilds) called *Major Arts* were instituted and later joined by fourteen *Minor Arts*.

The Minor Guilds
Le Arti Minori

BUTCHERS
BECCAI

SHOEMAKERS
CALZOLAI

SMITHS
FABBRI

MASTERS IN STONE AND WOOD
MAESTRI DI PIETRA E LEGNAME

FLAX DRESSERS AND SECOND HAND DEALERS
LINAIOLI E RIGATTIERI

VINTNERS
VINATTIERI

HOTELIERS
ALBERGATORI

OIL MAKERS AND CHEESEMONGERS
OLIANDOLI E PIZZICAGNOLI

LEATHER WORKERS AND TANNERS
CUOIAI E GALIGAI

ARMOURERS AND SWORDMAKERS
CORAZZAI E SPADAI

HARNESS MAKERS
CORREGGIAI

CARPENTERS
LEGNAIOLI

LOCKSMITHS
CHIAVAIOLI

BAKERS
FORNAI

NORI. Ogni Arte aveva un suo Santo Protettore, un gonfalone con propria insegna, una residenza separata ed era retta ed organizzata da statuti propri.

Ogni cittadino doveva essere iscritto ad un'Arte per avere il diritto a ricoprire cariche nell'amministrazione della città.

Each guild had its own Patron Saint, a gonfalon with its emblem, its own separate residence and its own statutes for its internal organization and ruling.

LE ARTI MAGGIORI FURONO:

1 - Arte dei Giudici e Notai
2 - Arte dei Mercatanti o di Calimala
3 - Arte del Cambio
4 - Arte della Lana
5 - Arte della Seta o di Por Santa Maria
6 - Arte dei Medici e Speziali
7 - Arte dei Vaiai e Pellicciai

LE ARTI MINORI FURONO:

1 - Arte dei Beccai
2 - Arte dei Calzolai
3 - Arte dei Fabbri
4 - Arte dei Maestri di Pietra e Legname
5 - Arte dei Linaioli e Rigattieri
6 - Arte dei Vinattieri
7 - Arte degli Albergatori
8 - Arte degli Oliandoli e Pizzicagnoli
9 - Arte dei Cuoiai e Galigai
10 - Arte dei Corazzai e Spadai
11 - Arte dei Correggiai
12 - Arte dei Legnaioli
13 - Arte dei Chiavaioli
14 - Arte dei Fornai

Dopo la caduta della Repubblica Fiorentina ed il ritorno dei Medici nella città, le Arti furono gradualmente ridotte e poi soppresse perché costituivano un ostacolo alla signoria Medicea, per il forte richiamo alla libertà ch'esse esercitavano sui fiorentini.

Rimane a testimonianza della grandezza delle Arti, l'imponente e singolare edificio di Orsanmichele, che servì nello stesso tempo a luogo di vendita e di custodia del grano, nonché a pio luogo di raccoglimento e di preghiera del popolo fiorentino.

THE MAJOR ARTS OR GUILDS WERE:

1 - The Guild of Judges and Notaries.
2 - The Guild of Merchants of Calimala.
3 - The Guild of Exchange.
4 - The Wool Guild.
5 - The Silk or Por Santa Maria Guild.
6 - The Guild of Physicians and Apothecaries.
7 - The Guild of Vair preparers and Furriers.

THE MINOR GUILDS WERE:

1 - The Guild of Butchers.
2 - The Guild of Shoemakers.
3 - The Guild of Smiths.
4 - The Guild of Masters In Stone and Wood.
5 - The Guild of Flax Dressers and Second Hand dealers.
6 - The Guild of Vintners.
7 - The Guild of Hoteliers.
8 - The Guild of Oil Makers and Cheese Mongers.
9 - The Guild of Leather Workers and Tanners.
10 - The Guild of Armourers and Sword-makers.
11 - The Guild of Harness makers.
12 - The Guild of Carpenters.
13 - The Guild of Locksmiths.
14 - The Guild of Bakers.

After the fall of the Florentine Republic and the return of the Medici to the town, the Guilds were gradually reduced and finally suppressed as they constituted an obstacle to the Medici Seigniory because they inspired a strong desire of liberty into the Florentines.

Today the imposing and singular building of Orsanmichele remains to testify the greatness of the Guilds; moreover it reminds us of the time when it was used as a centre for selling and storing grain at the same time as being a pious place for meditation and prayer for the Florentine people.

L'ESTERNO

THE EXTERIOR

Il monumentale edificio, a pianta rettangolare con misure esterne di metri 33,20 × 22,40, poggia su dieci massicci, larghi pilastri esterni a facce piane e due interni che sopportano due piani sovrastanti, i quali fanno raggiungere al Tempio un'altezza di metri 40,70 compreso l'elegante ballatoio.

The monumental building, on a rectangular design with externa sizes of 33,20 × 22,40 metres, rests on ten massive external pilasters and two internal ones supporting the two floors above, which make the temple reach a height of 40,70 metres including the very fine gallery.

On the ground floor the arches are closed in

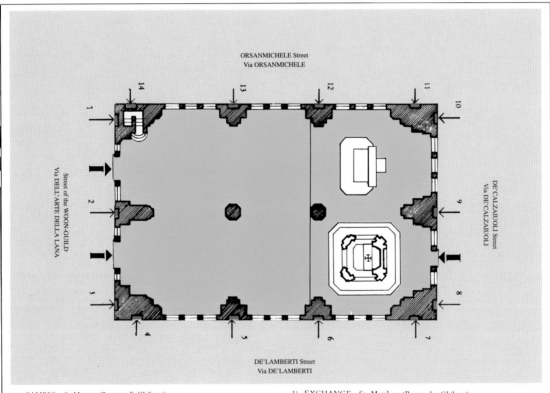

1) CAMBIO - S. Matteo (Bronzo di Ghiberti).
2) LANA - S. Stefano (bronzo di Ghiberti).
3) FABBRI - S. Eligio (opera di Nanni di Banco).
4) LINAIOLI e RIGATTIERI - S. Marco (opera di Donatello).
5) VAIAI e PELLICCIAI - S. Jacopo (opera di Niccolò di Pietro Lamberti).
6) MEDICI e SPEZIALI - Madonna della Rosa (opera di Simone Ferrucci).
7) SETA - S. Giovanni Evangelista (bronzo di Baccio di Montelupo).
8) MERCATANTI - S. Giovanni Battista (bronzo del Ghiberti).
9) TRIBUNALE di MERCANZIA - L'Incredulità di S. Tommaso (bronzo del Verrocchio).
10) GIUDICI e NOTAI - S. Luca (bronzo del Giambologna).
11) BECCAI - S. Pietro (opera di Nanni di Banco).
12) CALZOLAI - S. Filippo (opera di Nanni di Banco).
13) MAESTRI di PIETRA e LEGNAME - I Quattro SS. Martiri Coronati (opera di Nanni di Banco).
14) CORAZZAI e SPADAI - S. Giorgio (opera di Donatello).

1) EXCHANGE - St. Matthew (Bronze by Ghiberti).
2) WOOL - St. Stephen (Bronze by Ghiberti).
3) SMITHS - St. Stephen (work by Nanni di Banco).
4) LINEN DRESSERS and SECOND HAND DEALERS - St. Mark (work by Donatello).
5) ARMOURERS and SWORDMAKERS - St. Jacob (work by Niccolò di Pietro Lamberti).
6) PHISICIANS and APOTHECARIES - Madonna of the Rose (work by Simone Ferrucci).
7) SILK - St. John the Evangelist (bronze by Baccio di Montelupo).
8) MERCHANTS - St. John the Baptist (bronze by Ghiberti).
9) TRIBUNAL of MARCHANDISE - The doubting of St. Thomas (bronze by Verrocchio).
10) JUDGE and NOTARIES - St. Luke (bronze by Giambologna).
11) BUTCHERS - St. Peter (work by Donatello).
12) SHOEMAKERS - St. Philip (work by Nanni di Banco).
13) WORKER in STONE and WOOD - The four crowned Saints (work by Nanni di Banco).
14) ARMOURERS and SWORD-MAKERS - St. George (work by Donatello)

Rosone con l'insegna del Tribunale di Mercanzia
Rosace with the insignia of the Merchandise Court

Rosone con l'insegna dell'Arte dei Beccai
Rosace with the insignia of the butchers guild

Il piano terreno ha le arcate a tutto sesto, chiuse ad opera di Simone di Francesco Talenti, da eleganti finestroni decorati con fini colonne, statuette e rosoni in marmo, di stile gotico-rinascimentale, mentre fra questi ornati si trovano singolari finestre a mosaico di vetri colorati, eseguiti da celebri pittori come Ambrogio Baldese, Niccolò Guerrini, Lorenzo Monaco, ed anche dai valenti frati Ingesuati nel loro convento di S. Giusto alle Mura, fuori della Porta a Pinti.

Le facciate dei due piani superiori sono in pietra liscia e sobria, snellita da due ordini di bellissime grandi bifore sulle quali spiccano vari stemmi della Repubblica Fiorentina e di alcune Arti.

In alto ed in corrispondenza verticale con le quattordici edicole dei Santi Protettori, si notano altrettanti rosoni o medaglioni nei quali tredici Arti e il Tribunale di Mercanzia apposero la loro relativa insegna.

Dieci furono gli stemmi affrescati e solo quattro quelli eseguiti in terracotta invetriata dai Della Robbia.

Nel 1858 furono restaurati gli stemmi affrescati, ormai deteriorati dal tempo e a titolo sperimentale venne affidata alla Manifattura Ceramiche Ginori l'esecuzione del medaglione dei Beccai ad imitazione di quelli esistenti.

Alle quattro cantonate, all'altezza di poco più di un metro dal suolo, si notano, purtroppo deteriorati dal tempo, i simboli agresti dell'avvicendarsi delle quattro stagioni così espressi: la Primavera con alberi fioriti, l'Estate con spighe di grano, l'Autunno con pampani e grappoli d'uva e l'Inverno con alberi spogli. Sempre sulle cantonate, ma all'altezza fra il primo e il secondo piano, in riquadri di pietra forte, si possono notare ancora il

by elegant large windows decorated with fine columns, marble statuette and rose windows in Gothic Renaissance Style, a work of Simone, Francesco Talenti's son; among these decorations we can admire singular stained glass mosaic windows, made by famous painters such as Ambrogio Baldese, Niccolò Guerrini, Lorenzo Monaco and also by the *Ingesuati* friars in their convent of S. Giusto alle Mura, outside Porta a Pinti.

The façade of the two upper floors is in smooth, sober stone, decorated by two rows of very beautiful two-lighted windows above which the various shields of the Florentine Republic and some of the Guilds stand out.

We can see an equal number of rose windows or medaillons onto which the thirteen Guilds and the tribunal of Merchandise put their relative shields at the top: they correspond vertically to the fourteen aedicules of the Patron Saints. The shields were frescoed and only four were carried out in glazed terracotta by Della Robbia. In 1858 the frescoed shields were restored, as they had been seriously deteriorated by weather and aging, and just to make a test, the Manifattura Ceramiche Ginori was commissioned the execution of the medaillon of the Guild of Butchers, imitating the already existing ones.

On the four corners, a little higher than one meter from the ground, we can see, even if in very bad conditions because of weather and age, the agrestic symbols of the four seasons, represented in the following way: Spring, with flowering trees, Summer with ears of corn. Autumn with vine leaves and grapes, Winter with naked trees. Still on the corners, but higher on the wall, between the first and the second Floor, we can also see the lily

15

giglio di Firenze e la croce del Popolo.

Dal lato di via dell'Arte della Lana, si accede all'interno dell'Oratorio mediante le due porte principali in legno sulle quali si notano le lettere *OSM* (Orto San Michele). Queste porte sostituiscono quelle originali eseguite dal celebre legnaiolo Manno di Benincasa, soprannominato Manno dei Cori.

Nei quattordici pilastri esterni si trovano altrettante nicchie con tabernacoli, nei quali sono collocate pregevolissime opere di valenti scultori, che documentano lo sviluppo della scultura fiorentina e che ci accingiamo a descrivere, invitando il lettore a consultare anche la Tav. n. 1 a pag. n. 13.

of Florence and the People's Cross.

On the side of Via dell'Arte della Lana two wooden doors, the main doors, allow the entrance to the Oratory; on the doors we can see the letters *OSM* (Orto San Michele). These doors substitute the original ones made by the famous carpenter Manno dei Cori.

In the 14 external pilasters these is an equal number of niches with tabernacles, where very valuable works of art by famous sculptors are placed, illustrating the development of Florentine sculpture. We shall now describe these statues, inviting the reader to consult Table I. on page 13 .

Rosone Arte della Seta o di Por S. Maria - Luca della Robbia

Stemma dei Maestri di Pietra e Legname - Luca della Robbia

I TABERNACOLI

Lato Via dell'Arte della Lana:

1) **SAN MATTEO** Apostolo ed Evangelista, statua in bronzo eseguita da Lorenzo Ghiberti per l'Arte del Cambio, con l'aiuto dell'allora giovane Michelozzo (1422). I Consoli dell'Arte pagarono di sola mano d'opera al Ghiberti 650 fiorini d'oro. Il Santo, in un sobrio ed armonioso panneggio, mostra nella mano sinistra il suo Vangelo. In basso, nel lembo del manto si nota la scritta latina *OPUS UNIVERSITATIS CANSORUM FLORENTIE. ANNI DOMINI MCCCCXX*. Il tabernacolo fu scolpito da Jacopo di Corso e Giovanni di Niccolò (1420) su disegno dello stesso Ghiberti, mentre le due statuette in alto ai lati furono opera di Niccolò Aretino.

2) **SANTO STEFANO**, statua in bronzo di Lorenzo Ghiberti, eseguita per conto dell'Arte della

THE TABERNACLES

Side of Via dell'Arte della Lana:

1) **SAINT MATTHEW.** Apostle and Evangelist, bronze statue carried out by Lorenzo Ghiberti for the Guild of Exchange, with the help of still young Michelozzo (1422). The Consuls of the Guild paid Ghiberti 650 gold florins for his workmanship alone. The Saint clothed in sober and harmonious drapery, displays his Gospel in his left hand. At the bottom one can see the latin iscription *Opus Universitatis Consorun Florentie. Anno Domini MCCCCXX.* written on the hem of his mantle. The tabernacle, on a design of Ghiberti himself, was sculpted by Jacopo di Corso and Giovanni di Niccolò, whereas the two statuettes on top at the sides are the work of Niccolò Aretino.

2) **SAINT STEPHEN.** Bronze statue by Lorenzo Ghiberti carried out for the Wool Guild (1426).

San Matteo
Saint Matthew

Santo Stefano
Saint Stephen

Lana (1426). Il Santo fu chiamato *Protomartire*, cioè il primo martire della religione cristiana. Sul frontespizio in alto del trecentesco tabernacolo si nota l'Agnus Dei, insegna dell'Arte della Lana.

3) **SANT'ELIGIO** Vescovo, statua in marmo opera di Nanni di Banco, scolpita su commissione dell'Arte dei Fabbri (1415). Il Santo, di origine francese, fu Vescovo di Noyon e venne chiamato dai fiorentini S. Alò o S. Lò per corruzione del nome francese *Saint Elois*. Anche il tabernacolo fu eseguito da Nanni di Banco il quale, in basso, vi scolpì in bassorilievo la scena di un miracolo attribuito al Santo che ferrò la zampa di un cavallo tagliandogliela per poi rimettergliela miracolosamente al garetto. Ai lati del bassorilievo, due tenaglie nere in campo bianco, stemma dell'Arte.

Lato di Via de' Lamberti:

4) **SAN MARCO** Evangelista, opera in marmo di Donatello, eseguita per l'Arte dei Linaioli e Rigattieri (1411). Si dice che Michelangiolo, esaminando la statua, così si esprimesse: *Se tale era la sembianza del Santo da vivo, gli si poteva credere a tutto ciò che aveva scritto, tanto mostra aria da galantuomo.* Il tabernacolo fu eseguito da Perfetto di Giovanni e Albizzo di Pietro per il prezzo di 200 fiorini. Sul basamento, fra gli stemmi bianchi e rossi dell'Arte, campeggia il leone alato col Vangelo, simbolo di San Marco.

The Saint was called the Protomartyr, that is the first martyr of the Christian religion. On the frontispiece on top of the tabernacle one can see the Agnus Dei, the Emblem of the Wool Guild.

3) **SAINT ELIGIUS** the Bishop; statue in marble sculpted on a commission from the Guild of Smiths by Nanni di Banco (1415). The Saint, of French origin, was the Bishop of Noyon and was called by the Florentines St. Alò or St. Lò, corrupting the French name *Sainte Elois*. The tabernacla also was carried out by Nanni di Banco who sculpted in bass relief at the bottom the scene of a miracle attributed to the Saint who shod the hoof of a horse, first cutting it off and then joining it miraculously back to the hock. At the sides of the bass relief are two black pincers on a white background, the emblem of the Guild.

Side of Via de' Lamberti:

4) **SAINT MARK** the Evangelist, marble sculpture by Donatello carried out for the Guild of Flax Dressers and Second Hand Dealers (1411) Examining the statue Michelangelo is said to have comment: *If this Saint when alive, really looked like that; one could believe in anything he wrote, for the extremely honest look he has.* The tabernacle was executed by Perfetto di Giovanni and Albizzo di Pietro for a price of 200 florins. On the base the winged lion with the Gospel, Saint Mark's symbol, stands out between the red and white shields of the Guild.

Sant'Eligio
Saint Eligius

San Marco
Saint Mark

5) **SAN JACOPO**, (Giacomo Maggiore), statua in marmo eseguita per conto dell'Arte dei Vaiai e Pellicciai. L'opera è attribuita a Niccolò di Pietro Lamberti detto *il Pela*, benché non manchi chi la vuole attribuire a Nanni di Banco o a Bernardo Ciuffagni (1406). S. Jacopo, così chiamato comunemente l'Apostolo S. Giacomo Maggiore, lo si vede anche efficiato *in gloria* nel frontespizio in alto del tabernacolo, mentre la scena della sua decapitazione è scolpita in una elegante formella a compasso nel basamento del tabernacolo stesso, tra raffinati ornati e due stemmi dell'Arte.

6) **MADONNA DELLA ROSA**, gruppo in marmo eseguito da Simone Ferrucci da Fiesole per commissione dell'Arte dei Medici e Speziali (1399), e posto nella elegante edicolo a tempietto opera di Simone Talenti (1399). Sul basamento del tabernacolo figura la scritta *OPUS ARTIS ME-DICORUM SPETIARORUM ET MERCIARO-RUM. MCCCICXXIIII AUGUSTI*, mentre ai lati si possono notare due piccole mensole create per ospitare statuette che non furono mai eseguite.

5) **SAINT JACOB** (Giacomo Maggiore), marble statue executed for the Guild of Vari Preparers and Furriers. The work is attributed to Niccolò di Pietro Lamberti known as *Il Pela*, even if some experts attribute it to Nanni di Banco or Bernardo Ciuffagni (1406). Saint Jacob, as the Apostle St. James the Elder is usually called, is also protrayed *in glory* on the frontispiece at the top of the tabernacle, whereas the scene of his decapitation is sculpted in an elegant circular panel on the base of the tabernacle between refined decorations and the two shields of the Guild.

6) **MADONNA OF THE ROSE,** marble group carried out by Simone Ferrucci da Fiesole on a commission from the Guild of Physicians and Apothecaries (1399) and placed in the elegant temple-shaped aedicule by Simone Talenti (1399). On the base of the tabernacle the following words are sculpted *Opus Artist Medicorum Spetiarorum et Merciarorum. MCCCICXXIII Augusti*, whereas on each side we can see two small shelves, created to hold statuettes which were never made.

San Jacopo
Saint Jacob

Madonna della Rosa
Madonna of the Rose

7) **SAN GIOVANNI** Evangelista, getto in bronzo eseguito da Baccio da Montelupo (1515) per conto dell'Arte della Seta, la quale pagò all'artista 350 fiorini d'oro per l'opera compiuta. Il Santo è raffigurato in atteggiamento di meditazione, col libro del Vangelo da lui scritto. Sul frontespizio del trecentesco tabernacolo è scolpita una porta, insegna dell'Arte della Seta o Por Santa Maria.

Lato Via Calzaiuoli:

8) **SAN GIOVANNI BATTISTA**, statua in bronzo che Lorenzo Ghiberti gettò per commissione dell'Arte dei Mercatanti di Calimala (1416). Nel cartiglio spiegato che il Santo tiene con la mano sinistra si possono leggere le parole latine *Ego vox clamantis in deserto*. Sappiamo che l'artista iniziò la bellissima statua a sue spese, rimettendosi per il relativo pagamento ai Consoli dell'Arte di Calimala, quando il lavoro fosse stato ultimato. Ciò dimostra l'onestà ed il valore artistico del Ghiberti che era pienamente sicuro della superba riuscita del suo lavoro. Il tabernacolo fu eseguito da Albizzo di Piero su disegno dello stesso Ghiberti.

7) **SAINT JOHN,** the Evangelist, bronze cast carried out by Baccio da Montelupo (1515) for the Silk Guild, which paid the artist 300 gold florins for the accomplished work. The Saint is represented in a meditative pose, with the Gospel book written by him. A door is sculted on the frontispiece of the tabernacle, the emblem of the Silk or Por Santa Maria Guild.

Side of Via Calzaiuoli:

8) **SAINT JOHN THE BAPTIST,** bronze statue, casted by Lorenzo Ghiberti on a commission from the Guild of the Merchants of Calimala (1416). The Latin words *Ego vox clamantis in deserto* can be seen written on the open scroll that the Saint holds in his left hand. We know that the artist started this very beautiful statue at his own expense and put off the relative payment from the Consuls of the Guild of Calimala until the sculpture had been completed. This is an example of Ghiberti's honesty and artistic value because he was made by Albizzo di Piero on a design by Ghiberti himself.

San Giovanni Evangelista
Saint John Evangelist

San Giovanni Battista
Saint John the Baptist

9) **INCREDULITÀ DI SAN TOMMASO**, gruppo in bronzo raffigurante il Santo nell'atto di toccare la piaga del costato di Gesù. L'opera fu eseguita da Andrea del Verrocchio (1486) per conto del Tribunale di Mercanzia, il quale non era un'Arte bensì un'istituzione giuridica creata verso il sec. XIV dalle stesse Arti allo scopo di risolvere le controversie commerciali fra i mercanti. S. Tommaso fu scelto a Protettore di questo Magistrato perché anch'esso, come l'Apostolo, doveva essere completamente certo prima di emettere sentenze. La Signoria di Firenze pagò al Verrocchio 800 fiorini larghi quale ricompensa per il magnifico gruppo, che fu posto nel tabernacolo eseguito in stile moderno da Donatello e Michelozzo (1425).

10) **SAN LUCA** Evangelista, statua in bronzo eseguita dal Gianbologna su commissione dell'Arte dei Giudici e Notai (1602). Al centro del basamento dell'artistico tabernacolo attribuito a Niccolò Lamberti (1436) si nota il bue alato, tipico attributo del Santo, mentre ai lati è scolpita in due stemmi la stella a otto punte, insegna dell'Arte.

9) **THE DOUBTING OF SAINT THOMAS,** bronze group representing the Saint in the act of touching the wound in Jesus' side: The group was carried out by Andrea del Verrocchio (1484) for the Tribunal of Merchandise which was not a Guild but rather a juridical institution created around the XIV century by the Guilds themselves with the intention of solving commercial controversies among the Merchants. St. Thomas was chosen as Patron Saint of this Magistrate because he, as an apostle, also had to be completely certain before expressing his judgement. The Seigniory of Florence paid Verrocchio 800 florins as a reward for this magnificent group, which weas placed on a tabernacle executed in modern style by Donatello and Michelozzo (1425).

10) **SAINT LUKE** the Evangelist, bronze statue by Giambologna on a commission from the Guild of Judges and Notaries (1602). On the centre of the base of the artistic tabernacle attributed to Niccolò Lamberti we see a winged ox, the typical symbol of this saint, whereas at the sides the eight pointed star, the emblem of the Guild, is sculpted on two shields.

San Tommaso
Saint Thomas

San Luca
Saint Luke

11) **SAN PIETRO** Apostolo, opera in marmo di Donatello, eseguita per ordine dell'Arte dei Beccai (1413). La scultura fu molto lodata dal Vasari che la definì *savissima e mirabile*. A metà dei due pilastrini quadrati del sobrio tabernacolo attribuito a Nanni di Banco, si vedono gli incavi con i fori per i perni sui quali erano fissati gli scudi con lo stemma dell'Arte (montone nero in campo giallo).

12) **SAN FILIPPO** Apostolo, statua in marmo, opera che Nanni di Banco eseguì per l'Arte dei Calzolai (1410) unitamente all'edicola. La scultura del Santo fu affidata in un primo tempo a Donatello, il quale, non ritenendo equa la somma offertagli dai Consoli dell'Arte, rinunziò all'esecuzione dell'opera che fu quindi allogata a Nanni di Banco. Ai lati dell'ornato basamento del tabernacolo, spiccano due stemmi dell'Arte consistenti in tre fasce nere orizzontali in campo bianco.

11) **SAINT PETER** the Apostle, marble work by Donatello, carried out on a commission from the Guild of Butchers 61413). The statue was praised by Vasari who defined it as *wise and admirable*. Halfway up the two square pilasters of the sober tabernacle, attributed to Nanni di Banco, we can stiil see the holes which were carved out for the pivots which held the shields with the emblem of the Guild (a black ram on a yellow background).

12) **SAINT PHILIP** the Apostle, marble statue, carried out by Nanni di Banco, who also made the aedicule, for the Guild of Shoemakers (1410). The statue of the Saint was first commissioned to Donatello who considerable the sum the consuls of the Guild offered him too low and thus renounced to the execution of the work which was then offerend to Nanni di Banco. On the sides of the decorated base of the tabernacle, we can see two shields of the Guild, consisting of three black horizontal stripes on a white background.

San Pietro
Saint Peter

San Filippo
Saint Philip

13) **QUATTRO SANTI CORONATI**, gruppo marmoreo eseguito, unitamente al tabernacolo (1408), da Nanni di Banco per conto dell'Arte dei Maestri di Pietra e Legname. Quest'Arte raggruppava gli Architetti, gli Scultori, gli Scalpellini, e tutti coloro che lavoravano nelle costruzioni. Il gruppo rappresenta i Santi Castorio, Simproniano, Nicostrato e Simplicio, per alloggiare i quali fu necessario fare un'edicola con un interno più grande. Originale il drappeggio che termina sui pilastrini laterali. Nel bassorilievo del basamento si notano i Quattro Santi nel loro abituale lavoro.

14) **SAN GIORGIO**, copia in bronzo dell'originale marmoreo (ora al Museo Nazionale del Bargello) scolpito da Donatello per l'Arte dei Corazzai e Spadai (1416). Ultima nella nostra descrizione, ma prima per bellezza e celebrità, questa statua è stata lodata universalmente per l'atteggiamento fiero, giovanile, vigoroso che sembra muoversi dentro quel marmo. Nel basamento del tabernacolo, sempre opera di Donatello, si vede scolpita in bassorilievo con figure di forte dinamicità, la famosa scena raffigurante S. Giorgio a cavallo che per liberare la figlia del re di Cappadocia, uccide il terribile drago. Ai lati gli stemmi dell'Arte. Particolare da notare è anche la poca profondità dell'edicola perché nel pilastro gira la scala a chiocciola che conduce ai piani superiori.

13) **FOUR CROWNED SAINTS,** marble group carried out, together with the tabernacle by Nanni di Banco for the Guild of Masters of Stone and Wood. This Guild included architects, sculptors, stonecutters and all those who worked in the field of building. The group represents the Saints Castorius, Simpronian, Nicostratus and Simplicius. It was necessary to build an aedicule with a large interior to contain the group. The drapery originally ends in the side little pilasters. On the bass relief of the base we can see the Four Saints at their usual works.

14) **SAINT GEORGE.** Bronze copy of the original in marble (now in the National Museum of Bargello) sculpted by Donatello for the Guild of Armorers and Swordmakers (1416). It comes last in our description bu it is the first for its beauty and fame; it was universally praised for its proud, youthful and vigorous attitude which seems to animate the marble. On the base of the tabernacle, which was also made by Donatello, wo can see the famous scene, representing Saint George on horseback liberating the daughter of the King of Cappadocia and killing the terrible dragon, sculpted in bass relief with strong sense of dynamism. At the sides there are the emblems of the Guild. We must also remark that the aedicula is not very deep as within the pilaster there is the winding staircase that leads to the upper floors.

I Quattro Santi Coronati
The four crowned Saints

San Giorgio
Saint George

Austero luogo a pianta rettangolare a due na-
vate divise da pilastri quadrati che sorregono archi
a tutto sesto con sei volte a crociera.

Nel pilastro d'angolo, a sinistra per chi entra
dall'ingresso di Via dell'Arte della Lana, vi è una

It is an austere rectangular hall with two naves
divided by square pilasters which support six cur-
ved vaults.

Entering from the side of Via della Lana, on
the left in the corner column there is a small door

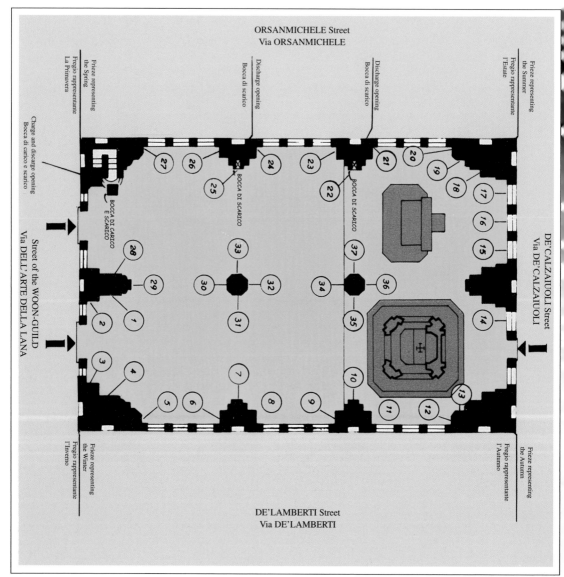

piccola porta, con tre scalini esterni, sull'architrave della quale si nota l'incavo di tre scudi nei quali si trovavano scolpite le insegne di Firenze Repubblicana, tolte nel periodo Mediceo.

Sopra questi incavi spicca in bassorilievo la figura dello *staio*, antica misura di capacità usata per il grano e le biade, che testimonia l'origine della loggia a mercato del grano. A titolo di curiosità riferiamo che tale misura veniva eseguita in periodi di carestia a staio raso, mentre nei periodi di abbondanza lo staio era colmo come appunto lo si vede nel bassorilievo. Dalla piccola porta si accedeva ai piani superiori dell'edificio mediante un'originale scala costruita all'interno del pilastro.

In alto nella volta, in corrispondenza dell'in-

with three external steps; on its architrave we can still see the cavities of three shields where once the emblems of the Republic of Florence were sculpted; they were removed in the Medicean period. Above these cavities in a bass relief we can see the carving of the *staio*, an ancient unit of mesure of capacity used for corn and oats, which testifies the origin of the loggia as a corn-market. This unit was applied as a bare mesaure in the periods of famine, whereas in the periods of abundance the *staio* was full as we see it in this bass relief.

From the small door one could go up to the upper floors of the building climbing a very particular staircase built inside the pilaster.

Interno dell'Oratorio di Orsanmichele — Church Orsanmichele - Interior of the Oratory

gresso, si vede un'apertura tipo piombatoio per la quale dovevano essere issati, oltre che dal di fuori, con argani e carrucole, i sacchi di grano da immagazzinare nei piani sovrastanti.

Si notano inoltre in due pilastri, sempre al lato della scala, le bocche rettangolari di scarico sotto le quali si dovevano riempire le sacca di grano, che all'interno del pilastro, scivolava dai piani superiori.

Il pavimento dell'Oratorio è per due terzi lastricato in pietra, mentre per un terzo e precisamente quello sopraelevato di un gradino, è elegantemente intarsiato in marmo bianco di Carrara, nero del Monferrato e rosso di Monsummano. Su questo decorativo pavimento si elevano il tabernacolo della Madonna delle Grazie a destra, e l'altare di S. Anna a sinistra. (Chiedere l'illuminazione).

In the vault above, over the entrance, we can see an opening, similar to a machicolation, through which the sacks of grain to be stored in the upper floors were hoisted using windlass and pulleys.

Still beside the stair, we can see, in two pilasters the rectangular discharge shoots; the sack of grain were filled up underneath these, the grain sliding down from the upper floors within the pilaster.

Two thirds of the floor of the Oratory are paved in stone, whereas the remaining third and precisely the part which is one step higher, is elegantly inlaid with marble from Carrara, black from Monferrato, red from Munsummano. On this decorative floor, stands, on the right, the tabernacle of the Madonna delle Grazie, and on the left St. Anne (ask for lighting).

Porta d'accesso ai piani superiori
Admitting door to the upper stories

Bocca di scarico
Discharge opening

IL TABERNACOLO DELLA MADONNA DELLE GRAZIE

THE TABERNACLE OF THE MADONNA DELLE GRAZIE

Il grandioso tabernacolo che Andrea di Cione detto l'Orcagna ebbe l'incarico di costruire nel 1349, fu da questi eseguito in stile gotico fiorentino e finito dieci anni dopo.

Quest'opera è stata ammirata ed elogiata da insigni artisti di tutte le epoche per il fine intaglio dei marmi e per la perfetta unione di pietre, marmi e bronzo che la decorano.

L'Orcagna si avvalse anche dell'opera di suo

Andrea di Cione, known as Orcagna, had the commission of constructing this big tabernacle in 1349; he made it in Florentine Gothic style and his work was accomplished ten years after.

This work has been admired and praised by famous artists of all times for its fine marble carving and for the perfect harmony of stone, marble and bronze decorating it. Orcagna, in the huge work of decorating the tabernacle with so many figures

Tabernacolo della Madonna delle Grazie

The Tabernacle of the Madonna of Grace

fratello per eseguire tutte le figure del superbo tabernacolo, del quale i molteplici pezzi che lo compongono furono uniti insieme con spranghe di rame impiombate, senza fare uso di calcina, affinché i marmi rimanessero lucidi e puliti e il tabernacolo innalzato sembrasse di un sol blocco. Da notare che l'opera era stata eseguita quando ancora era aperta la loggia ed il sole del giorno doveva far brillare in un armonico giuoco di luci e di ombre, i policromi vetri ed il candido marmo rendendo certamente più deliziosa l'opera dell'artista.

Questo magnifico lavoro fa da stupenda cornice alla tavola attribuita a Bernardo Daddi (o allo stesso Orcagna), raffigurante la venerata Madonna detta *delle Grazie*, troneggiante fra otto angeliche figure, che sostituisce quella di Ugolino da Siena, andata presumibilmente distrutta con l'incendio del 1304. Di fianco, ai lati della pittura sono scolpiti in bassorilievo quattro Angeli marmorei per parte.

Il tabernacolo è protetto da una bellissima cancellata di bronzo e marmo, composta da rosoni eseguiti da Benincasa di Lotto e delimitata negli angoli da snelle colonnette a spirale che sorreggono pregevoli angeli marmorei reggicandelabri. Nella parte alta, collocate sulla trabeazione delle colonnette a tortiglione, si possono notare le statue dei dodici Apostoli.

In otto formelle ottagonali situate in basso, due per ogni lato del tabernacolo (intramezzate da altre tre esagonali rappresentanti la Fede, la Speranza e la Carità) ed incorniciate da una serie uniforme di conchiglie marine, sono rappresentate dall'Orcagna storie della vita della Madonna con la seguente successione iniziando dal lato dell'altare di S. Anna:

was helped by his brother; the many pieces which compose the work were joined together with bars of leaded copper, without the use of any mortar, so that the marble pieces might remain polished and clean and the tabernacle appeared as if it had been made out of a single block.

This magnificen masterpiece makes a beutiful frame for the panel attributed to Bernardo Daddi (or to Orcagna himself) representing the venerated Madonna called *delle Grazie* enthroned between eight angels, which substitutes the one by Ugolino da Siena, presumably destroyed in the fire of 1304. Four marble angels are sculpted in bass relief on either side of the painting. The tabernacle is protected by a very beautiful small bronze and marble gate, composed of wheel windows carried out by Benincasa di Lotto and limited at the corners by slim little columns in spiral form which support valuable marble candleholders in the form of angels. On the top of the tabernacle, on the trabeation of the little spiral columns, there are the statues of the twelve Apostles.

Stories from the life of the Madonna framed by a uniform series of sea-shells were depicted by Orcagna in the eight octagonal panels placed, two for each side of the tabernacle, at the bottom of it; this is their sequence, starting from the side of the altar of St. Anne:

▶
Pala della Vergine e il Bambino (opera di Bernardo Daddi)

▶
Virgin with the Child - Altar piece by Bernardo Daddi

La Natività di Maria
The Nativity of Mary

1) **LA NATIVITÀ DI MARIA**. Si nota la puerpera S. Anna mentre osserva la piccola Maria che è tenuta in braccio e fasciata da una giovane donna.

1) **THE NATIVITY OF MARY.** One can see the newly delivered St. Anne looking at the baby Mary who is held and swaddled by a young woman.

La Presentazione ai Tempio
The Presentation in the Temple

2) **LA PRESENTAZIONE AL TEMPIO**. La piccola Maria è nell'atto di salutare S. Giovacchino e S. Anna suoi genitori, mentre si appresta a salire la scala del Tempio.

2) **THE PRESENTATION TO THE TEMPLE.** Little Mary waves to her parents St. Joachim and St. Ann, while she is climbing the stairs up to the temple.

Sposalizio della Vergine
The Wedding of the Virgin

3) **LO SPOSALIZIO DELLA VERGINE**. Il sacerdote congiunge in matrimonio la Vergine e S. Giuseppe.

3) **THE WEDDING OF THE VIRGIN.** The priest celebrates the wedding of the Virgin and St. Joseph.

Annunciazione
The Annunciation

4) **L'ANNUNCIAZIONE**. L'Angelo Gabriele mandato da Dio annunzia alla Vergine Maria la sua maternità.

4) **THE ANNUNCIATION.** Angel Gabriel, sent by God announces the Virgin Mary her maternity.

La Natività di Gesù
The Nativity of Jesus

5) **LA NATIVITÀ DI GESÙ**. Nella grotta di Betlemme, fra la Madonna e S. Giuseppe, il divino Bambino è riscaldato dal bue e l'asinello.

5) **THE NATIVITY OF JESUS.** In the stable at Bethlem, between the Madonna and St. Joseph, the divine Child is warmed by the ox and the ass.

La Visita dei Magi
The visit of the Magi Kings

6) **LA VISITA DEI MAGI**. Il Bambino Gesù, in braccio alla Madonna riceve l'ossequio ed i regali dei tre Re Magi.

6) **THE VISIT OF THE THREE MAGI.** Baby Jesus receives the homage and gifts of the Magi, in the arms of the Madonna.

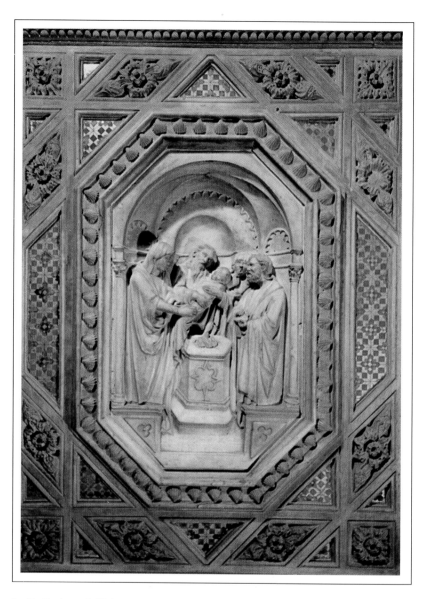

La Purificazione di Maria
The Purification of Mary

7) **LA PURIFICAZIONE DI MARIA**. Rispettando la legge di Mosè, la Madonna si presenta al Tempio dopo 40 giorni, col Figlio e S. Giuseppe, per la cerimonia della purificazione. Il Bambino è abbracciato dal santo vecchio Simeone mentre S. Giuseppe reca l'offerta dei due colombi.

7) **THE PURIFICATION OF MARY.** Respecting the laws of Moses, Mary presents herself at the temple 40 days afterwards, with Her Son and St. Joseph, for the purification ceremony. The Child is held by the old St. Simeon, while St. Joseph brings the offering of two doves.

L'Annunzio della Morte di Maria
The Announcement of the Death of Mary

8) **L'ANNUNCIAZIONE DELLA MORTE DI MARIA**. Dopo ventidue anni dalla morte di Gesù un angelo appare a Maria e le predice la sua morte, che avverrà dopo tre giorni.

8) **THE ANNOUNCEMENT OF MARY'S DEATH.** Twenty-two years afert Jesus' death, an gel appears to Mary and predicts Her death, which is to take place three days later.

Le storie della vita di Maria terminano col mirabìle grande bassorilievo nella parte posteriore del tabernacolo, dove viene rappresentata la morte della Vergine e la sua assunzione in cielo. La storia ivi rappresentata è divisa in due parti. Nella parte inferiore si vede la Madonna sul letto di morte attorniata dagli Apostoli, discepoli e visitatori, fra i quali l'Orcagna ha ritratto se stesso nel busto situato all'estrema destra di chi guarda, sotto l'albero, a capo coperto. Nella parte superiore, in un ovato a mandorla, la Madonna è assunta in cielo, circondata da Angeli festanti mentre a sinistra, genuflesso e con gli occhi e le mani rivolte alla Vergine, è S. Tommaso il quale riceve dalla Madonna la sua cintura a testimonianza della miracolosa assunzione in cielo. Nel bassorilievo manca però la cintura che dalle mani della Vergine passa in quelle di S. Tommaso, andata purtroppo perduta nonostante l'Orcagna l'avesse voluta apporre in metallo, proprio perché avesse un maggior spicco e una maggiore resistenza, parendogli troppo fragile l'eseguirla in marmo.

Quasi per autenticare la sua opera, l'Orcagna si firmò nella parte inferiore del bassorilievo, sul giaciglio di Maria, con la frase ANDREAS CIONIS PICTOR FLORENTINUS ORATORII ARCHIMAGISTER EXTITIT HUJUS. MCCCLIX.

The stories of the life of Mary end with a wonderful bass relief on the back of the tabernacle, where death of the Virgin and Her Assumption to heaven are represented.

The story represented here is divided into two parts. In the lower part one can see the Madonna on Her death bed surrounded by the Apostles, Disciples and Visitors, among them a self-portrait of Orcagna in the person on the extreme right, with his head covered standing under the tree.

In an almond shaped ovate, in the upper part, the Madonna is taken up to Heaven, surrounded by rejoicing Angels, whereas on the left, kneeling and with His hands and eyes turned towards the Virgin, St. Thomas receives from the Virgin her Belt as a witness of Her miraculous assumption into heaven. The belt which passes from the Virgin's hands into St. Thomas's ones is unfortunately missing; it was lost, despite the fact that Orcagna made it in metal, so that it could stand out better and have a better resistence, whereas marble seemed to be too fragile to him.

As if he wanted to authenticate his work, Orcagna signed it in the lower part of the bass relief on Mary's bed with the phrase Andrea Cionis pictor florentinus oratorii archimagister extitit hujus MCCCLIX.

▶
Morte ed Assunzione della Vergine

▶
Death and Assumption of the Virgin

L'ALTARE DI S. ANNA   THE ALTAR OF ST. ANNE

Questo altare fu eretto per devozione dei fiorentini in onore di S. Anna il cui culto, come già detto in precedenza, ebbe origine dopo la cacciata del Duca di Atene che tiranneggiava la città (1343).

Il gruppo marmoreo che troneggia sull'altare fu ordinato dai Capitani di Or San Michele a Francesco Giamberti detto il San Gallo, il quale lo terminò nel 1526. In quest'opera giovanile dell'artista, sono raffigurate S. Anna con la Figlia

This altar was built for the worship of the Florentines in honour of St. Anne, whose cult, as w said before, started after the expulsion of the Duke of Athens who had despotically ruled the cit (1343).

The imposing marble group on the altar wa ordered by the Captain of Or San Michele to Francesco Giamberti known as San Gallo, who fi nished it in 1526. In this early work of the artist St. Anne is represented with her daughter Mar

Altare di S. Anna   Saint Ann's Altar

Maria Vergine la quale ha sulle ginocchia il Bambino in atto benedicente.

Nella cintola di S. Anna l'artista scolpì il proprio nome.

Nel basamento sotto le figure, in caratteri ebraici è scolpita la frase latina *EGO SUM LUX MUNDI* riferita al Cristo e riportata nel Vangelo di S. Giovanni. Altre iscrizioni figurano ai lati del gruppo marmoreo di S. Anna: a sinistra *GENUISTI QUI FECIT ET INETERNUM PER MANES VIRGO*, a destra *STERILITAS DIU DESIDERAT DONATUR FRUCTU*; posteriormente *RE DEL CIEL VERGIN FIGLIA SPOSA ET MADRE ANA CHE SOL DI GRATIE PARTORISTI ONDE IL CIEL CHIUSO AL PECATORE APRISTI DRIZATE IPENSIER VANI AL SOMO PADRE A.D. MDXXVI*. La scultura fu posta dapprima sul vecchio altare di legno che successivamente fu sostituito da uno di marmo incorporato in quello attuale nel 1770.

the Virgin who has Her Child in Her Lap in an act of benediction. The artist sculpted his name on the belt of St. Anne. Below the figures in the base the Latin phrase in Hebraic characters *Ego sum lux mundi* referring to Christ and written in the Gospel by St. John is incised.

There are some other inscriptions on the sides of the marble group.

on the left: *Genuisti qui fecit et in eternum per manes Virgo*. on the right: *Sterilitas diu desiderat donatur fructu*; on the back: *Re del ciel Vergin figlia sposa et madre Anna che il sol di gratie partoristi onde il ciel chiuso al peccatore apristi drizate i pensier vani al sommo padre a.D. MDXXVI*. The sculpture was first placed on the old wooden altar which was later substituted by a marble one which was incorporated in the present one in 1770.

Affreschi nelle unghiature della volta

Frescoes in the corners of the ceiling

GLI AFFRESCHI

THE FRESCOES

Le volte e le facce dei pilastri furono dipinte *a fresco* secondo la tecnica praticata per questo tipo di pittura, che veniva eseguita su intonaco di calcina fresca mediante la colorazione con terre colorate stemperate in latte di fico e chiara d'uovo. Valenti dovevano essere i pittori che *affrescavano* poiché a questo genere di pitture non erano possibili correzioni ed inoltre bisognava conoscere in anticipo come sarebbero cambiati i colori nell'asciugamento dell'intonaco.

Purtroppo gli affreschi trecenteschi di Orsanmichele sono mal conservati, anche per la barbara imbiancatura eseguita nel 1770 e tolta nel 1864. Ciò contribuisce a rendere ancor più difficile l'identificazione degli artisti che li eseguirono, anche perché nel '300 l'imitazione era frequente e gli artisti raramente firmavano le loro opere.

Gli affreschi delle volte rappresentano Patriarchi e Profeti dell'Antico Testamento, che spiccano fra stelle d'oro sul costoso fondo azzurro oltremarino ottenuto con le preziose pietre di lapislazzuli.

Quattro volte delle crociere, e precisamente le due centrali e le due che sovrastano gli altari, furono affrescate da Jacopo Landini da Pratovecchio detto *il Casentino*, il quale dipinse anche molti Santi a mezzo busto in formelle sugli archi delle crociere.

Al centro delle sei volte il serraglio è ornato con gli stemmi colorati del Popolo, della Chiesa, di Firenze, della Parte Gulefa, dei d'Angiò e del Comune. Nelle unghiature della volta si notano pendenti 24 campanelle in ferro battuto che, unitamente alle 30 più piccole disposte tre per ogni arco, servivano per sollevare carichi mediante l'applicazione di funi e carrucole.

Sulle facce dei pilastri sono dipinte figure di Santi Protettori, in piedi a grandezza naturale, e sotto molti di essi sono rappresentate particolari scene della loro vita.

Invitando l'attento visitatore a consultare la tavola n. 2 a pag. 30 passiamo a dare alcuni cenni descrittivi di queste pitture, eseguite per lo più da Jacopo Casentino ma anche da Giovanni dal Ponte, Niccolò di Pietro Gerini, Giovanni Antonio

The vaults and the fronts of the pilasters were painted *a fresco* according to the technique used for this kind of painting; on a laying of fresh mortar the painting was made with ground colours diluted with fig milk and white of egg. The *fresco* painters had to be very skilled because it was impossible to correct this kind of painting and moreover it was necessary to know beforehand how the colours were likely to change once the plaster haddried up.

Unfortunately the fouteenth century frescoes of Orsanmichele are badly preserved, mainly because they were barbarously painted over in 1770 and then cleaned again in 1864. This fact contributes to make the identification of their author particularly difficult, also because imitations were frequent in 1300 and the artist rarely signed their works.

The frescoes in the vaults represent Patriarchs and Prophets from the Old Testament which are surrounded by golden stars on a precious ultramarine blue background which was obtained by grinding down stones of lapislazzuli.

Four of the Roman vaults and precisely the two central ones and the two above the altars, were frescoed by Jacopo Landini from Pratovecchio known as *il Casentino*, who also painted many of the half length Saints on the panels in the arches of the Roman vaults.

The Keystone in the centre of the six vaults is decorated with the coloured shields of the People, of the Church, Florence, the Guelph Party, the D'Angiò family and the Commune. In the arch of the unghiata vaults one can see 24 little bells in beaten iron hanging down which, with the other 30 bells placed three at every arch, served to raise weights by using ropes and pulleys.

On the fronts of the pilasters figures of Patron Saints are painted, life size and standing full length, and, below many of them, there are scenes from their lives.

We invite the visitor to consult table number 2 on page 30 and we go on describing these paintings, mainly carried out by Jacopo Casentino but also by Giovanni Dal Ponte, Niccolò di Pietro Ge-

S. Bartolomeo
Saint Bartholomew

Sogliani, Francesco Morandini detto *il Poppi*, Lorenzo di Credi, Ambrogio di Baldese, Smeraldo di Giovanni e Mariotto Albertinelli:

1) **S. MICHELE ARCANGELO**. Celeste guerriero difensore del popolo cristiano, protettore anche dei pesatori di grano.

2) **S. GIOVANNI BATTISTA**. Patrono della città di Firenze e Protettore dell'Arte dei mercatanti di Calimaia. È raffigurato con cartiglio dove sono scritte le parole *Ecce Agnus Dei*. Opera da attri-

buirsi a Giovanni dal Ponte.

3) **S. NICOLA DA TOLENTINO**. Compatrono di Firenze e protettore di corporazioni artigiane, invocato contro gli incendi. Affresco di Niccolò di Pietro Gerini.

4) **S. GIULIANO**. Protettore dell'Arte degli Albergatori. Nella scena il Santo trasporta sulle spalle il lebbroso attraverso un fiume per dargli asilo. Ai lati si notano due stelle a otto punte, insegna dell'Arte.

5) **S. GIORGIO**. Protettore dell'Arte dei Corazzai e Spadai. È raffigurato armato di scudo e spada. Nella scena il Santo a cavallo uccide il drago.

6), 7), 8) **S. MATTEO**. Protettore dell'Arte del Cambio. Il Santo gabelliere è raffigurato nelle tre facce del pilastro con il libro del suo Vangelo.

9) **S. AGOSTINO**. Protettore dell'Arte dei Cuoiai e Gagliai, la quale fece apporre in fondo all'affresco la propria denominazione. Opera da attribuirsi a Mariotto Albertinelli.

10) **S. GIOVANNI Evangelista**. Protettore dell'Arte della Seta. È raffigurato col suo Vangelo. Nella deteriorata scena viene illustrato il martirio del Santo immerso in una caldaia di olio bollente.

11) **S. BARNABA**. Compatrono di Firenze, rappresentato in tarda età con un ramo d'olivo nella mano sinistra, secondo l'espressione dell'iconografia toscana. Nella scena il martirio del Santo.

12) **SANTA LUCIA**. Nell'affresco la venerata Santa della luce è raffigurata con l'attributo degli occhi, che la martire tiene in un piattello tra le mani. Nella scena è raffigurata mentre alcune coppie di buoi tentano invano di trascinarla alla suprema vergogna.

13) **SANTA VERDIANA**. Molto venerata in Firenze, la Santa è effigiata con l'abito monacale delle Vallombrosane. Nella scena un episodio della vita di S. Giovanni Battista, in sostituzione di uno precedente andato perduto e nel quale S. Verdiana salvava un ortolano fiorentino da un serpente.

14) **SAN FILIPPO**. Protettore dell'Arte dei Calzolai. È rappresentato con un piccolo pane nella mano sinistra, attributo questo derivatogli perché presente al miracolo della moltiplicazione dei pani.

rini, Giovanni Antonio Sogliani, Francesco Morandini, known as *Il Poppi*, Lorenzo di Credi, Ambrogio di Baldese, Smeraldo di Giovanni and Mariotto Albertinelli.

1) **ST. MICHAEL ARCHANGEL.** Heavenly warrior, defender of the Christian people and Protector of the corn-weighers.

2) **ST. JOHN THE BAPTIST.** Patron Saint of the town of Florence and Protector of the Guild of Merchants of Calimala. He is shown here with a scroll on which the words *Ecce Agnus Dei* are written. The work is attributed to Giovanni dal Ponte.

3) **ST. NICHOLAS OF TOLENTINO.** Another Patron Saint of Florence, appealed to in the time of fires. A fresco by Niccolò di Pietro Gerini.

4) **ST. JULIAN.** Protector of the Guild of Hoteliers. In the scene below the Saint carries the leper on his back across the river to give him asylum. At the sides one can see the two eight pointed stars, the emblem of the Guild.

5) **ST. GEORGE.** Protector of the Guild of Armourers and Swordmakers. He is represented armed with sword and shield. In the scene beneath the Saint is shown on horseback, killing the Dragon.

6), 7), 8) **ST. MATTHEW.** Protector of the Echange Guild. The Exciseman Saint is shown on the three sides of the pilaster with the book of His Gospel.

9) **ST. AUGUSTINE.** Protector of the Guild of Leather Workers and Tanners, which had its denomination placed at the bottom of the fresco. The work is attributed to Mariotto Albertinelli.

10) **ST. JOHN THE EVANGELIST.** Protector of the Silk Guild. He is shows with his Gospel. The partyrdom of the Saint immerged in a boiler of boiling oil is illustrated in the deteriorated fresco below.

11) **ST. BARNABUS.** Another Patron Saint of Florence, represented with an olive branch in his left hand in his old age, it is a typical expression of Florentine iconographic painting. The martyrdrom of the Saint is illustrated in the scene below.

12) **ST. LUCY.** The venerated Saint of light is shown in the fresco with her symbol, that is the

S. Martino Vescovo
Saint Martin Bishop

eyes, which the martyr holds on a plate in her hands. She is shown in the scene where some pairs of oxen try vainly to drag her to the supreme shame.

13) **ST. VERDIANA.** This Saint, who was much venerated in Florence, is represented in a Vallombrosan nun's habit. In the scene below there is an episode from the life of St. John the Baptist, substituting an earlier one which was lost and in which St. Verdiana saved a Florentine gardner from a snake.

S. Matteo Apostolo
Apostle Saint Matthew

15) **S. FRANCESCO**. Celeste Patrono di tutto il popolo cristiano, è considerato il primo poeta d'Italia. Il grande affresco sulla parete lo raffigura nell'atto di mostrare le stimmate.

16) **S. AGOSTINO**. Protettore dell'Arte dei Cuoiai e Gagliai. Il Santo Vescovo è in atto benedicente. Tavola di G.A. Sogliani.

17) **S. DOMENICO**. Nel grande affresco sulla parete, il Santo vincitore dell'eresia, fondatore dell'ordine dei Frati Predicatori. Questi officiavano anche nell'Oratorio di Orsanmichele.

18) **S. CATERINA DELLA RUOTA**. Protettrice anche dei Mugnai. È raffigurata con corona in testa, in piedi su una ruota simbolo del suo martirio.

19) **S. ANNA**. Madre della Madonna, onorata perché fautrice della libertà fiorentina recuperata dopo la cacciata del Duca d'Atene.

20) **S. PIETRO**. Protettore dell'Arte dei Beccai. L'Apostolo sul quale Cristo fondò la sua Chiesa è raffigurato col libro e con la croce.

21) **S. GIULIANO**. Protettore dell'Arte degli Albergatori. Nell'affresco il Santo è rappresentato come cacciatore con il falco sul pugno destro, la spada e il cane.

22) **S. JACOPO**. Protettore dell'Arte dei Vaiai e Pellicciai. È raffigurato con bastone da pellegrino e con una conchiglia nella mano destra.

23) **S. MARTINO**. Protettore dell'Arte dei Vinattieri. Per la festa del Santo Vescovo, l'11 novembre, la gioia popolare si manifestava bevendo il vin nuovo detto *di S. Martino*. Tavola di G.A. Sogliani.

24) **S. STEFANO**. Protettore dell'Arte della Lana. Opera su tavola. Nella scena la lapidazione del Santo Protomartire.

25) **QUATTRO SANTI CORONATI**. Protettori dell'Arte dei Maestri di Pietra e Legname. Affresco di Ambrogio di Baldese e Smeraldo di Giovanni.

26) **S. BARTOLOMEO**. Protettore dell'Arte degli Oliandoli e Pizzicagnoli. Opera su tavola di Lorenzo di Credi, dove il Santo viene rappresentato col coltello, simbolo del suo martirio.

27) **SAN GIULIANO**. Protettore dell'Arte degli Albergatori. Si ripete la scena del lebbroso portato a spalla dal Santo e ospitato da Giuliano e dalla moglie nel proprio castello.

28) **S. ZANOBI**. Compatrono di Firenze e Vescovo della città nell'anno 400. Protettore dell'Arte dei Chiavaioli. Nella scena il Santo resuscita un bimbo.

29) **S. STEFANO**. Protettore dell'Arte della Lana. il cui stemma in pietra spicca in bassorilievo nell'esagono in alto. L'affresco è opera di Francesco Morandini detto *il Poppi* dal suo paese di origine.

14) **ST. PHILIP.** Protector of the Guild of Shoemakers. He is shown with a small loaf of bread in his left hand, this symbol being given him because he was present at the miracle of the multiplication of the loaves.

15) **ST. FRANCIS.** Heavenly Patron of all Christian people, he is also considered the first Italian poet. The great fresco on the wall shows him in the act of showing the stigmata.

16) **ST. AUGUSTINE.** Protector of the Guild of Leather Workers and Tanners. The Bishop Saint is in a benedictory pose. Panel by G.A. Sogliani.

17) **ST. DOMINIC.** In the great fresco on the wall one can see the Saint Winner over heresy, founder of the Order of Predicant friars. These friars also officiated in the Oratory of Orsanmichele.

18) **SAINT CATHERINE OF THE WHEEL.** Protectress of the Millers too. She is shown here with a crown on her head and her fest on a wheel, the symbol of her martyrdom.

19) **ST. ANNE.** Mother of the Madonna and honoured because she supported the Florentine freedom rescued after the expulsion of the Duke of Athens.

20) **ST. PETER.** Protector of the Guild of Butchers. The Apostle on whom Christ founded his Church is shown here with his book and the Cross.

21) **ST. JACOB.** Protector of the Guild of Vair Preparers and Furriers He is shown with a pilgrim's staff and a shell in his right hand.

22) **ST. MARTIN.** Protector of the Guild of Vintners. On November 11th, the Sainted Bishop's Feast Day, people show their joy drinking the new wine, called *St. Martin* after the Saint. Panel by G.A. Sogliani.

23) **ST. STEPHEN.** Protector of the Wool Guild. Painted on wood. The stoning of the Protomartyr Saint is shown in the scene beneath.

24) **FOUR CROWNED SAINTS.** Protectors of the Guild of Masters of Stone and Wood. A fresco by Ambrogio di Baldese and Smeraldo di Giovanni.

Il Buon Ladrone
The good Thief

25) **ST. BARTHOLOMEW.** Protector of the Guild of Oil makers and Cheesemongers. A work on wood by Lorenzo di Credi; the Saint is shown with a knife, the symbol of his martyrdom.

26) **ST. JULIAN.** Protector of the Guild of Hoteliers. There is a repetition of the scene of the leper carried on the Saint's back and sheltered by Julian and his wife in their castle.

27) **ST. ZANOBUS.** Another Patron Saint of Florence and bishop of the city in the year 400. The Saint brings a baby back to life in the scene beneath.

S. Stefano Promartire
Saint Stephen protomartyr

30) **S. ZANOBI**. Protettore dell'Arte dei Chiavaioli. Nella scena viene rappresentato il miracolo dell'olmo al lato del battistero quanto il 26 gennaio dell'anno 429 improvvisamente rinverdì al passaggio della salma del Vescovo.

31) **SS. TRINITÀ**. Protettrice dell'Arte dei Correggiai. Nell'affresco figurano Dio Padre, il Figlio crocifisso e lo Spirito Santo in forma di colomba. Nella scena, la Vergine e gli Apostoli in preghiera sui quali discende lo Spirito Santo.

32) **SS. ANNUNZIATA**. Protettrice dell'Arte dei Legnaioli. Nell'affresco, opera attriuita a Giovanni dal Ponte o Jacopo Landini, l'annunciazione, mentre nella scena è rappresentata la Natività di Gesù.

33) **S. MARTINO**. Protettore dell'Arte dei Vinattieri. Opera di G.A. Sogliani. Nella scena il Santo a cavallo nell'atto di dividere il proprio mantello vaiato col mendicante.

34) **S. BARTOLOMEO**. Protettore dell'Arte degli Oiandoli e Pizzicagnoli. Nella scena, il martirio del Santo mentre viene scorticato. Affresco di Lorenzo di Credi.

35) **S. LORENZO**. Protettore dell'Arte dei Fornai. Nell'affresco il Santo tiene l'insegna dell'Arte (stella bianca in campo rosso), mentre nella scena è rappresentato sulla graticola del martirio.

36) **IL BUON LADRONE**. Affresco di Jacopo Landini fatto eseguire da un ladro che, pentito e prossimo alla morte, volle fare affrescare a sue spese il *buon ladrone* crocifisso col Redentore. L'affresco porta in basso la seguente iscrizione latina in versi: *Magnam fidem habuisti / Quando Jesum cognovisti / Deum miser(um) credidisti*.

37) **S. MARIA MADDALENA**. Raffigurata con il vasello dei balsami, suo attributo, coi quali avrebbe voluto cospargere il cadavere di Cristo. Nella scena è raffigurata ricoperta dai suoi lunghissimi capelli.

28) **ST. STEPHEN.** Protector of the Wool Guild, whose stone emblem stands out in bass relief in the hexagon at the top. The fresco is the work of Francesco Morandini called *Poppi* from his birth place.

29) **ST. AUGUSTINE.** Protector of the Guild of Leather workers and Tanners. The fresco is the work of Giovanni Antonio Sogliani.

30) **THE HOLY TRINITY.** Protectress of the Guild of Harness Makers. God the Father, the crucified Son, and the Holy Spirit in the form of a dove are shown in the fresco. The Virgin and the Apostles praying with the Holy Spirit descending on them is the subject of the scene below.

31) **THE HOLY ANNUNCIATION.** Protectress of the Guild of Carpenters. The fresco represents the Annunciation, and is attributed to Giovanni dal Ponte or Jacopo Landini, whereas the Nativity of Jesus is shown in the scene below.

32) **ST. MARTIN.** Protector of the Guild of Vintners. The work of G.A. Sogliani. In the scene the Saint on horseback can be seen in the act of sharing his vairfurred cloak with the begger.

33) **ST. BARTHOLOMEW.** Protector of the Guild of Oilmakers and Cheesemongers. The martyrdom of the Saint by flogging is shown in the scene below. A work by Lorenzo di Credi.

34) **ST. LAWRENCE.** Protector of the Guild of Bakers. In the fresco the Saint is holding the emblem of the Guild (white star on a red background), while he is shown on the rack of martyrdom in the scene below.

35) **THE GOOD THIEF.** A thief, repenting and near to death, had this fresco carried out as he wished to have the fresco of the *good thief* crucified with the redentor made at his own expense. At the bottom the fresco bears the Latin inscription in verse: *Magnam fidem habuisti / Quando Jesum cognovisti / Deum miserum credidisti.*

36) **ST. MARY MAGDALEN.** Shown with the jar of balsams, her symbol, with which she wished to besmear the body of Christ. She is represented covered by her long hair in the scene below.

S. Giuliano
Saint Julian

LE VETRATE

THE GLASS WINDOWS

La chiusura della loggia dell'Oratorio fu completata, alla fine del Trecento e nel secolo successivo, con l'apposizione di vetrate nelle trifore, segno anche questo della ricchezza dell'edificio in un'epoca in cui le finestre a vetri erano veramente un lusso ed un costoso privilegio riservato soltanto a ricchi palazzi pubblici e privati, e ad alcune chiese più importanti. Le vetrate di Orsanmichele furono decorate con figure di Santi, scene di miracoli ispirati alla tradizione mariana ed episodi della vita della Madonna, particolarmente venerata.

Non sono stati con precisione identificati tutti gli autori delle vetrate, alle quali, peraltro, non mancarono di lavorare Ambrogio Baldese, Niccolò Gerini, Lorenzo Monaco e più tardi anche i Frati

The closing of the Loggia of the Oratory was completed at the end of the trecento and in the following century, by placing glasses in the three-mullioned windows, which represented another sign of the richness of the building in a period in which glass windows were a real luxury and an expensive priviledge reserved only to the rich public and private palaces and to some of the most important churches. The glass windows in Orsanmichele were decorated with figures of Saints, scenes of miracles taken from Mary's life and episodes of the life of the Madonna, who was then particularly worshipped. The authors of all the glass windows have not been yet precisely identified, but certainly Ambrogio Baldese, Niccolò Gerini,

Ingesuati del Convento di S. Giusto fuori le mura. Questi religiosi svolsero una intensa (anche se relativamente breve) attività nel campo vetrario e nel commercio dei colori oltremarini.

Non che fabbricassero vetri, ma creavano con essi delle artistiche vetrate policrome dalle suggestive composizioni sacre, che realizzarono anche per la Cattedrale di Santa Maria del Fiore, ed altre Chiese, sia in Firenze che fuori.

Per il loro qualificato lavoro i frati Ingesuati (o Gesuati) si distinsero fin dal loro insediamento nel Convento di S. Giusto (prima metà del XV sec.). La loro attività probabilmente si estinse nel 1529 quando, a causa del famoso assedio di Firenze, subirono la distruzione del loro convento, e furono costretti a rifugiarsi in città.

Il procedimento per la costruzione delle vetrate, consisteva nello stendere sopra un cartone, disegnato sempre da valenti pittori, tutto un mosaico di pezzetti di vetro colorato, apponendoli secondo il disegno rispettivamente in corrispondenza dei colori delle vesti, dei volti, dei paesaggi.

I vetri sporgenti venivano naturalmente tagliati lungo i contorni della figura, e quindi si spennellavano le ombreggiature con polvere di ferro macinata, in modo da creare i chiaroscuri voluti. L'opera veniva poi messa a cuocere e dopo la cottura impiombata; le connettiture quindi venivano saldate fra loro a stagno, e tutta l'opera, rinforzata mediante traverse di ferro e filo di ferro o di rame, era apposta alla finestra dove la luce esterna la illuminava dando vivezza alle figure rappresentate che conferivano all'ambiente austerità e raccoglimento.

Nelle vetrate di Orsanmichele si osserva una composizione ricca di movimento e di colori nei più svariati toni, dal più cupo al più chiaro, sui quali predomina l'intenso azzurro del fondo e, sovente, del panneggiamento delle vesti.

La luminosità che traspare da tutto questo insieme di vetrate colorate, infonde letizia e devozione, ed accentua la vivacità delle immagini e la scioltezza di movimento, specialmente in certe scene, alla cui realizzazione non furono, come già detto, estranei pittori come Ambrogio di Baldese, Niccolò Gerini e Lorenzo Monaco.

Iniziando l'osservazione (naturalmente dall'interno) delle vetrate dell'Oratorio dalla parte di Via Arte della Lana, si notano al di sopra della porta d'ingresso, sei figure di angeli musicanti a mezzo busto, mentre altri sei si stagliano sopra la porta accanto (generalmente chiusa) due dei quali però sono raffigurati in atto di pregare anziché in atto di suonare strumenti musicali. Tutti i dodici angeli appaiono di maniera e di epoca posteriore alle decorazioni delle trifore.

Lorenzo Monaco and later also the Ingesuati Friars from the Convent of San Giusto took part in the works. These Friers were intensively (even if for a short period) active in the field of glass decoration and in the commerce of ultramarine colours.

They did not produce glasses, but they created with them some artistic polychrome glass windows with beautiful sacred compositions, which they made for the Cathedral of Santa Maria del Fiore and for other Churches, both in Florence and outside the town.

Since the first half of the XV century, when the Friars settled in the Convent of San Giusto fuori le mura, they distinguished themselves for the quality of their works. Their activity probably came to an end in 1529, when because of the famous siege of Florence, their convent was destroyed and they had to take shelter in town.

The procedure for the construction of glass windows consisted in laying a mosaic of coloured pieces of glass on a cartoon, always prepaired by skilled painters; the pieces should be placed following the drawing, according to the colours of clothes faces and landscapes. The outprotruding pieces of glass were obviously cut along the outlines of the figures, and then the colours were shaded using iron powder, in order to obtain any desired light and shadow effect.

The work was then baked and spliced: the connections were then soft-soldered, and the whole work, reinforced thanks to bars of iron and wire, was placed in the window, where the light from the outside lit it up giving brightness to the figures which filled the inside with austerity and sense of meditation. In the glass-windows in Orsanmichele we can see a composition rich in movement and colours, going from the lightest to the darkest shade, on which the intense blue of the background and often of the drapery of clothes dominates.

The brightness which derives from these colourful glass-windows gives joy and devotion and stresses the liveliness of the images and the dynamism of movement especially in certain scenes, which were carried out, as I have already said, by painters like Ambrogio di Baldese, Niccolò Gerini and Lorenzo Monaco.

Looking at the glass-windows (obviously from the inside) of the Oratory from the side of Via Arte della Lana, we can see above the entrance door, six half-length figures of angels playing music, whereas six more angels are represented above the nearby door (generally closed); two of these are represented while praying rather than playing music. These twelve angels, seemed to belong to a la-

Proseguendo, si distinguono nel seguente ordine le varie scene rappresentate nelle trifore:

Lato Via Orsanmichele

1) L'andata della Vergine al Tempio.

2) S. Anna in atto di ricevere da un angelo l'annuncio della sua prossima maternità.

3), 4), 5) Miracoli attribuiti all'intercessione della Madonna, non facilmente identificabili, dei quali è ricca la leggenda e la tradizione mariana.

Lato Via Calzaiuoli

6) Guarigione di una badessa sul letto di morte.

7) Guarigione di un monaco gravemente ammalato.

8) Guarigione di un'ammalata dopo aver ricevuta l'Eucarestia. La Madonna è inginocchiata presso il letto dell'inferma.

9) Il riposo in Egitto. La scena rappresenta una pia tradizione secondo cui Maria, durante la fuga in Egitto, si fermò a Matarieth presso il Cairo, sotto un albero vicino ad una sorgente d'acqua.

10) Il progetto della fondazione della chiesa di Santa Maria Maggiore.

11) Storia del monaco peccatore, rappresentata in quattro scene: la consueta preghiera del religioso alla Madonna prima di uscire dal Convento, la donna che lo guarda allo spiraglio dell'uscio, l'annegamento del monaco nella corrente impetuosa del verde fiume, la Vergine che dal cielo salva l'anima del monaco.

Lato Via de' Lamberti

12) Si ripetono quasi gli stessi elementi della storia del monaco peccatore: il fiume, la morte, la preghiera del protagonista. Particolare degno di nota è la Vergine raffigurata nel tabernacolo dell'Orcagna.

13) Un impiccato confortato dalla Madonna, che gli appare col manto azzurro che si confonde significativamente con l'azzurro del cielo.

14) Anche in questa scena, non meglio identificata, la Vergine è rappresentata all'interno del tabernacolo dell'Orcagna.

15) L'Assunta. Opera di epoca posteriore alle precedenti.

16) La presentazione al Tempio.

ter style and period than those of the decorations of the three-mullioned windows.

Going on we can see the various scenes represented in the three-mullioned windows in the following order:

Side of Via Orsanmichele:

1) The Virgin going to the Temple.

2) St. Anne in the act of receiving from the angel the announcement of her future maternity.

3), 4), 5) Miracles attributed to the intercession of the Madonna, not easily identifiable, which are numerous in the legend and tradition of the life of Mary.

Side of Via Calzaiuoli:

6) Recovery of an abbess on her death-bed.

7) Recovery of a very ill monk.

8) Recovery of an ill woman, after having received the Eucharisty. The Madonna is kneeling by the woman's bed.

9) The rest in Egypt. The scene illustrates a pious tradition according to which Mary, during the flight into Egypt, stopped in Materieth near Cairo under a tree near a spring of water.

10) The project for the foundation of the Church of Santa Maria Maggiore.

11) The history of the sinner monk, represented in four scenes: the usual prayer of the religious man to the Madonna before going out of the convent: the woman who looks at him from a small opening of the door, the drowning of the monk in the strong stream of the green river, the Virgin who from heaven saves the soul of the monk.

Side Via de' Lamberti

12) Almost the same elements of the history of the sinner monk are here repeated: the river, death the prayer of the main character. A remarkable detail is constituted by the Virgin represented in the tabernacle by Orcagna.

13) A hanged man comforted by the Madonna, who appears to him wearing a blue mantle which significantly mingles with the blue of the sky.

14) In this scene, which has not been clearly recognized, the Virgin is represented inside the tabernacle by Orcagna.

15) The Virgin received into Heaven. A later work than the others.

16) The presentation to the Temple.

I PIANI SUPERIORI

THE UPPER FLOORS

I due trecenteschi ampi e luminosi saloni sovrapposti su due piani alla loggia-oratorio, come abbiamo visto, furono adibiti dalla Repubblica Fiorentina a pubblico granaio. Essi sono abbelliti ognuno da dieci grandi ed eleganti finestre, modellate in marmo bianco, che anticamente venivano chiuse da sportelloni di legno. Le bifore del primo piano avrebbero dovuto essere costruite dalle Arti a loro spese, ma non tutte vi provvidero.

Infatti dal lato sud si notano le bifore con le insegne dei Giudici e Notai, dei Corazzai e Spadai e dei fornai; su quelle del lato di Via Calzaiuoli vi sono gli stemmi dell'Arte della Lana e della Seta, mentre sulle rimanenti si notano solo gli stemmi del Comune. Le bifore del secondo piano fino dal 1384 portavano le insegne della Parte Guelfa, del Popolo, del Comune e di Ludovico d'Angiò, che furono rinnovate nel 1854.

Il salone del primo piano fu costruito con mezzi pilastri alla parete esterna (poggianti su quelli della loggia) e con due pilastri al centro come nel sottostante oratorio; la copertura fu eseguita con volte a crociera armoniosamente intessute di pietra e mattoni.

Il secondo piano fu coperto da un tetto sostenuto da un'armatura a cavalletti, secondo un'ordinanza della Repubblica del 1386, e fu opera di Bartolo di Dino. Soltanto nel 1844, per consolidamento dell'armatura a causa del trascorrere dei secoli, fu deciso di costruire due pilastri centrali, sebbene con disegno e fattura diversi da quelli antichi dei piani sottostanti.

Nell'anno 1404 l'edificio fu completato mediante il coronamento dei beccatelli e del loro sopraornato a sostegno di una terrazza continua. Fra i beccatelli i Capitani di Orsanmichele fecero affrescare figure di angeli che purtroppo non sono giunte fino a noi.

In origine si accedeva a questi saloni mediante quella scaletta interna a chiocciola che s'innalzava a gruppi di tre scalini ciascuno, intervallati fra gruppo e gruppo da un gradino più ampio, ricavata nello spessore del pilastro angolare posto accanto all'entrata della Chiesa. Questa scala seviva soltanto per l'ascesa e la discesa delle persone, in

The two fourteenth century wide and bright halls which occupy each one of the two floors on the Oratory, as we already said, were used by the Florentine Republic as public granary. Each of them was decorated with 10 large and elegant windows, framed with white marble, which in the ancient times were closed by big wooden doors. The two-mullioned windows on the first floor should have been built by the Guilds at their own expenses but not all of them took part in the project.

In fact, on the southern side we can see the two mullioned windows with the shields of Judges and Notaries, of Armourers and Swordmakers and of Bakers; on those on the side of Via Calzaiuoli there are the Shields of the Guild of Wool and Silk, whereas on the remaining ones we can see only the shields of the Commune. The two-mullioned windows of the second floor had been bearing the shields of the Guelph Party, of the People, of the Commune, and of Ludovico d'Angiò, which were renewed in 1854.

The hall on the first floor was built with half pilasters at the external wall (standing on those of the Loggia) and with two pilasters in the centre, like in the Oratory beneath; the ceiling was made with cross-vaults, harmoniously composed of stones and bricks.

The second floor was covered with a roof supported by roof-trestles according to a disposition of the Republic in 1386, and it was a work by Bartolo di Dino. Only in 1844, in order to reinforce the scaffolding which time had deteriorated, it was decided to build the two central pilasters, though with a design and a style completely different from the ancient pilasters in the lower floors.

In 1404 the building was completed with the crowning of the corbels and of their terminal parts to support a continuous terrace. Among the corbels the Captains of Orsanmichele had figures of Angels frescoed which unfortunately have not survived up to our days.

Originally the acces to these halls was possible through that internal little winding staircase which was formed by groups of three steps each,

quanto, proprio perché molto stretta, non consentiva il carico e lo scarico delle granaglie le quali, per essere immagazzinate, venivano sollevate a mezzo tramogge, funi e carrucole, mentre per il loro scarico venivano introdotte direttamente nei canali dei pilastri, ed a getto uscivano dalle bocche sottostanti, per essere raccolte negli appositi contenitori.

Nel 1569 Cosimo I volle adibire questi due saloni non più a deposito di grano come era stato nelle primitive intenzioni, bensì a quello delle pubbliche scritture. Attraverso trasformazioni strutturali interne e la costruzione della rampante scala esterna del Buontalenti (agibile ancora oggi) tali ambienti vennero adattati alle nuove esigenze dell'Ufficio dei Contratti. Nell'Ottocento l'Ufficio venne trasferito in altra sede anche per consentire l'effettuazione di restauri che necessitavano al vetusto edificio.

Pochi anni orsono i due imponenti saloni, prima di essere appropriatamente adibiti ad ospitare importanti mostre e manifestazioni, hanno avuto ulteriori restauri. Fra l'altro furono apposte luminosissime vetrate alle bifore, al fine di far godere al visitatore suggestive inquadrature del centro storico della città e dei dintorni; al primo piano per l'accesso al piano superiore, fu costruita una modernissima, ardita scala in legno e acciaio (in netto contrasto con tutto l'antico edificio) avvolgente il semipilastro centrale ed ancorata al muro perimetrale dalla parte del Palazzo dell'Arte della Lana.

with a larger step among these groups, and had been built within the angular pilaster placed by the entrance of the Church. This staircase was only used by people, as, being very narrow, it did not allow the loading and unloading of corn, which were raised by hopper, ropes and pulleys to be stored, and then directly introduced into the channels of the pilasters to be unloaded, and they came out of the openings beneath, to be collected in the special containers.

In 1569 Cosimo I wanted to use these two halls no longer as a deposit for corn, as it had been originally, but for public writings. Thanks to some internal structural modifications and to the construction of an external climbing stair (a work by Buontalenti which is still used today), these halls were adapted to the new requirements of the Contracts Office. In the nineteenth century the Office was transferred to another place in order to allow the work of restoration which the very old building needed. A few years ago the two imposing halls, before being destined to guest important exhibitions and events, underwent further restoration. Very bright glasses were put in the two-mullioned windows, in order to allow visitors to enjoy beautiful views of the historical centre of the town and of its surroundings; on the first floor, to get an access to the second floor, a very modern stair in steel and wood (in clear contrast with the whole ancient building) was built. It climbs around the central pilaster and is fixed to the perimetral wall on the side of the Palazzo dell'Arte della Lana.

▶
Chiesa di Orsanmichele - I due piani superiori

▶
Church of Orsanmichele - The two upper Stories

CHIESA DI S. CARLO DEI LOMBARDI

THE CHURCH OF SAN CARLO DEI LOMBARDI

Nella via dei Calzaioli, di fronte al piccolo ingresso del sacro edificio di Orsanmichele, si erge l'antica Chiesa che oggi porta il nome di San Carlo dei Lombardi e le cui vicende furono strettamente legate a quelle singolari di Orsanmichele. Pare infatti che la Chiesa fosse edificata una prima volta nel 1284 su disegno di Arnolfo di Cambio, col nome di San Michele Arcangelo. La primitiva chiesetta fu abbattuta per fare posto alla piazza ed alla

In Via dei Calzaiuoli, in front of the small entrance of the sacred building of Orsanmichele; there is the ancient Church which nowadays bears the name of San Carlo dei Lombardi; the events of its life were tightly connected with those of Orsanmichele. In fact it seems that the Church was first built in 1284 on a design by Arnolfo di Cambio, and called St. Michael Archangel. The original small church was destroyed to make place for

Chiesa di S. Carlo dei Lombardi - L'Esterno
Church of S. Carlo dei Lombardi - the outside

Chiesa di S. Carlo dei Lombardi - L'Interno
Church of S. Carlo dei Lombardi - the interior

successiva loggia per il mercato del grano.

Di ciò non esistono prove certe, mentre è documentata la costruzione della attuale Chiesa. Questa fu iniziata nel 1349 da Neri di Fioravante e Benci di Cione, dopo che la Signoria ne aveva decretata l'erezione in onore di S. Anna. Nel 1379 però, la Chiesa fu dedicata a S. Michele Arcangelo e non più a S. Anna, per la quale ormai il luogo di venerazione era nel prospiciente Oratorio di Orsanmichele. Sempre nel 1379, la direzione dei lavori per l'ultimazione della Chiesa fu affidata a Simone di Francesco Talenti che inoltre disegnò la sobria ed elegante facciata e scolpì gli ornati del frontespizio e i capitelli dei pilastri, ai lati della porta d'ingresso.

Nel 1616 una Compagnia religiosa, detta *dei Lombardi* ottenne dai Capitani di Orsanmichele l'uso di questa Chiesa affinché fossero onorate in Firenze le reliquie di S. Carlo Borromeo, Arcivescovo di Milano ma di famiglia originaria fiorentina. Fu appunto da tale epoca che la Chiesa lasciò l'antica denominazione di S. Michele per assumere quella di S. Carlo dei Lombardi, ancora oggi conservata.

La Chiesa è in pietra forte, in stile medioevale fiorentino, non molto ampia ma di sobrie proporzioni. L'interno, restaurato nel 1931 e dopo la tragica alluvione del 1966, si compone di una sola navata al termine della quale, sopraelevata di alcuni gradini, è l'abside coperta con tre volte poggianti su pilastri ottagonali con capitelli corinzi.

Sull'arcata centrale spicca lo stemma in pietra della famiglia de' Pilli, consistente in una lista vaiata disposta in palo.

Sotto la volta centrale si ammira la bella tavola raffigurante la Deposizione del Cristo pianto dalle tre Marie, opera attribuita da alcuni a Niccolò di Pietro Gerini e da altri a Taddeo Gaddi. Nella parte bassa della tavola si notano due stemmi rotondi con le lettere *OSM*.

Ai lati di questa pittura, nei lunotti delle arcate figurano quattro affreschi alquanto deteriorati, raffiguranti scene della vita di S. Carlo Borromeo.

Sopra la porta d'ingresso, in una grandissima tela dipinta da Matteo Rosselli, figura S. Carlo Borromeo in gloria.

Alla parete destra vi è l'antico Crocifisso di legno (sec. XIV) che in passato era posto in Orsanmichele fra i due altari, presso il quale S. Antonino devotamente usava trattenersi in preghiera ogni giorno.

the square and then for the loggia for the grain market.

There is no definite evidence of this, whereas the construction of the present church is documented. This was began in in 1349 by Neri di Fioravanti and Benci di Cione, as the Seignory had decreed its erection in honour of St. Anne. In 1379 the Church was dedicated no longer to St. Anne but to St. Michael Archangel; the place of veneration for St. Anne was the Oratory of Orsanmichele, just over the road. In the same year, 1379, the direction of the works for the accomplishment of the Church was given to Simone di Francesco Talenti who also designed the simple and elegant façade and sculpted the decorations on the frontispiece and the capitals of the pilasters at the sides of the entrance door.

In 1616 a religious society, called *dei Lombardi,* obtained the use of this church from the Captains of Orsanmichele; here the reliquaries of San Carlo Borromeo, who was Archbishop of Milan but descended from a Florentine family, were brought to be venerated. It was in that period in fact that the Church lost its ancient denomination of St. Michael and assumed that of St. Carlo dei Lombardi, which it still has today.

The Church is in local granite, in medieval florentine style, not very large but with sober proportions. The interior, restored in 1931 and again after the tragical flood in 1966, is composed of a single nave at the end of which is the apse, raised up by some steps, covered with three vaults resting on octagonal columns with Corinthian Capitals.

On the central arch we can see the stone shield of the Pitti family: it consists in a vair designed band arranged vertically. Under the central vault we can admire the beautiful panel representing the Deposition of Christ mourned by the three Maries, a work which was attributed to Niccolò di Pietro Gerini by some experts and to Taddeo Gaddi by others. In the lower part of the painting we can see two round shields with the letters *OSM*.

At the sides of this painting, in the lunettes of the arches, there are four frescoes, unfortunately, representing some scenes from the life of San Carlo Borromeo.

Above the entrance door, in a very large canvas painted by Matteo Rosselli, San Carlo Borromeo is represented in glory.

On the right wall there is the ancient wooden Crucifix, which in the past was kept in Orsanmichele between the two altars and by which St. Antonine used to pray devoutly every day.